— Mais, ce n'est pas comme cela que l'on joue aux billes

JEANNE MAIRET

LA TÂCHE DU PETIT PIERRE

ET

AUCASSIN ET NICOLETTE

(Author Unknown)

ADAPTED FOR EARLY READING

BY

ADELINA KUHN

AND

PAULE HENRIETTE MORE

Eastern District High School
Brooklyn, New York

NEW YORK
HENRY HOLT AND COMPANY

74P1

PRINTED IN THE
UNITED STATES OF AMERICA

FOREWORD

The present editors of "La Tâche du Petit Pierre" and "Aucassin et Nicolette" have, it seems to me, rendered a real service to the teaching of elementary French in making available in very simple form these delightful stories.

More and more teachers of modern foreign languages are coming to accept as chief objective of their instruction in the schools of the United States the development of facile reading ability. A real and lasting value of foreign language study is attained when pupils have acquired the ability to read readily and with enjoyment texts that are within their range of achievement.

That objective is, of course, difficult of attainment if reading texts suitable to their level of preparation and accomplishment are not available. A great obstacle to the acquirement of rapid and comprehending reading ability has been, and still is, the scarcity of sufficiently easy modified prose for use in the first two years of the high school course. Young students, on passing from the "constructed," easy texts of their beginning book to the literary work frequently put before them as the next field to conquer, find themselves facing barriers to their advancement that are disheartening and often bewildering. Such barriers are created by literary style and idiom, by words that are rare and idiomatic expressions which are often complicated and abundant, even in books written for children by foreign authors.

The idea that such books are sacrosanct and must not be changed a jot or tittle lest injustice be done the foreign writer, has often resulted in greater injustice to the young student upon whom they are thrust. But there is a middle ground which provides just treatment of both author and pupils, namely, the modification of the language difficulties of the foreign literary masterpiece together with the preservation of its intent, its spirit and charm.

This middle ground is difficult to attain. He who attempts it must not only be thoroughly imbued with the feeling and intent of the author, but he must also be exceedingly skillful in preserving those qualities while he modifies and simplifies (even clarifies) the medium, the language, the language in which the author expressed himself.

The present editors have convincingly demonstrated how that middle ground can be successfully attained. Pupils who read these two delightful tales will be able to read them readily and enjoy doing so because the texts have been graded down to their level of accomplishment.

(*Signed*) LAWRENCE A. WILKINS
Director of Modern Languages in the High Schools of New York City.

CONTENTS

ILLUSTRATIONS

INTRODUCTION

This edition of "La Tâche du Petit Pierre" has been prepared to bridge the gap between the many excellent first readers in French and those which can be used to the greatest advantage in the last half of the second year of study. The requirements for this intermediate period are inherent story interest, simplicity of style and limitation of vocabulary to words of high frequency. The charm of style and story in "La Tâche" was recognized by the French Academy when it made the work the coveted "ouvrage couronné."

In the preparation of this edition difficulties of idiom and language have been removed but every care has been taken to preserve that which is characteristic of the author and the work. The justification for these changes lies in the thesis that the reading of much graded material teaches pupils how to read better than struggling with reading matter that is too difficult in language and style. This principal has long been axiomatic in the mother-tongue but it has been slow in being extended to foreign languages. For this reason, also, the forms of the second person singular have been replaced by the second person plural with which the young pupil is better acquainted. The second person singular of irregular verbs offers genuine difficulty.

The unity of style and language of one story makes a text easier for the pupil. To this advantage "La Tâche" joins that of variety in subject-matter for each chapter carries the young hero through different experiences of poverty and wealth, country and city life, etc. Of the vocabulary of approximately 1000 words 610 are in the first 1000 of the Vander Beke list, 181 in the second 1000 words, and there are but 27 which do not occur in the list, excluding geographical names. Of these 27 more than half are cognates.

Summary of the Vocabulary Count

Of the		*Book contains*
69	most common words not included in frequency count	68
1–500	in Vander Beke list	406
501–1000	" " " "	222
1001–2000	" " " "	231
2001–6000	" " " "	207
words not in list (all but 27 are cognates that are easily recognizable)		58
		1192

All idioms have been eliminated with the exception of those which are matters of vocabulary, such as expressions of age and weather. The text uses the present, imperfect, past indefinite, future and conditional of verbs. Whenever the future and conditional occur they are listed in the vocabulary. The vocabulary has been prepared with the needs of young students in mind, consequently forms of verbs, contractions, etc. are given which would not be needed by older students.

With regard to the exercises provided, they have been planned to develop reading ability and, therefore, to supplement the class work and to be usable for homework assignments. Questions cover all important facts of the text. True and false statements offer reading exercises on the same material. Exercises of the multiple choice and completion type, drills in word recognition, etc. provide additional practice in the recognition of the meaning of words. There are no exercises for teaching grammatical points for this edition has been prepared to help the pupil to develop ability to read with pleasure and ease.

The story of "Aucassin and Nicolette" has been included for extensive reading. A very different type of story makes a pleasant change for the pupil and this delightful tale has never failed to charm in the thousand years of its existence. The style of the old French conte has been preserved but the language and construction are those of simple narrative. The translation of new words is given in the text itself.

The method suggested is the accepted practice of many teachers. New words and others which experience shows need special attention are put on the board, pronounced and taught by the teacher with the method and time allotment that circumstances indicate. Words for this purpose (558) are listed on page *127B* and following pages. The teacher then reads aloud the amount of text that he has planned to cover. Questions in French or English test the pupils' comprehension. The pupils reread the text, aloud if possible, while the teacher's pronunciation is still fresh in their memory. When possible the text should be read in dialogue form or acted. For homework the pupil should be directed to read the pages aloud and to do the exercises which occur at the back of the book. Pupils can be taught in this way to have confidence in their comprehension of what they read without feeling that they do not comprehend unless they translate. There are times when translation is necessary as a check of comprehension, but the need for translation decreases when the material offers no difficulties of syntax and meaning.

The authors make grateful acknowledgement to their colleagues, Miss Jeanne Dreyfus and Miss Jeanne M. Lanz, for their helpful suggestions.

A. K.
P. H. M.

January, 1936

LA TÂCHE DU PETIT PIERRE

Chapitre I

La mansarde vide

1

Les voisins disent de Pierre Delsart: « C'est un petit homme ».

Et c'est vrai. Pierre est « un petit homme ». Il joue moins que ses camarades parce qu'il aide souvent sa mère. 5

La mère de Pierre est ouvrière. Elle coud du matin au soir, mais elle ne gagne pas beaucoup. Ils ont souvent faim et froid.

Pierre et sa mère habitent la mansarde 10 d'une grande maison, très haute et très laide. La ville s'appelle Saint-Nazaire. Elle est située sur la Loire. De grands bateaux partent de là pour traverser l'Atlantique. 15

2

Un jour la pauvre ouvrière tombe malade et elle meurt. C'est pour Pierre une chose qui lui semble impossible.

Pierre a seulement dix ans. Et à dix ans on est encore bien enfant. Il est seul au monde. Que va-t-il faire ?

En rentrant du cimetière il rencontre sa 5 petite amie, Lisette, qui demeure dans la même maison. Elle lui met ses petits bras autour du cou pour le consoler et elle lui dit:

— Vous savez, Pierre, le docteur Dubois 10 dit qu'il veut vous parler. Il va venir ici. Voulez-vous que je reste avec vous ?

— Oui, répond Pierre.

3

Pierre est content d'avoir sa petite amie à côté de lui. Assis sur une vieille malle ils 15 attendent le docteur ensemble. Ils trouvent le temps long. Enfin Lisette dit à son ami:

— Voulez-vous manger ? et elle tire un morceau de chocolat et un morceau de pain de sa poche. Elle donne la moitié du pain 20 et la moitié du chocolat à Pierre.

— C'est bon le chocolat, dit la petite fille.

— Oui, répond le petit garçon. Le pain est bon aussi: il est frais.

Assis sur une vieille malle ils attendent le docteur ensemble

Les enfants restent silencieux pendant quelques minutes. Enfin la petite Lisette demande à Pierre:

— Pourquoi, Pierre, le docteur désire-t-il 5 vous voir ?

— Est-ce que je sais ? Peut-être qu'il a un peu d'ouvrage pour moi. Il faut que je travaille maintenant.

4

Le docteur entre.

10 — Ah ! dit-il. Vous voici mon garçon. Je désire vous parler. Lisette, sortez. Dépêchez-vous.

Lisette est fâchée. Elle désire savoir ce que le docteur va dire à Pierre. Elle passe 15 près de son petit ami pour quitter la chambre et Pierre lui dit:

— Je promets de tout vous dire.

Alors la petite fille quitte la chambre, le coin de son tablier dans la bouche.

Chapitre II

Le père de Pierre

1

— Venez ici, mon petit homme, dit le docteur, en tirant Pierre vers lui. Quel âge avez-vous ?

— J'ai dix ans et cinq mois, Monsieur le docteur. 5

— Bon ! Vous savez bien répondre. Avez-vous du courage ? Avez-vous la force de faire une chose difficile ? Vous n'avez pas facilement peur ?

Pierre réfléchit. C'est un garçon à qui sa 10 mère a appris qu'il faut toujours dire la vérité et toute la vérité. Il dit enfin :

— Je n'ai pas peur des grands garçons, mais j'ai quelquefois peur dans le « noir ». Maman se moquait de moi. 15

— Elle avait raison de rire. On peut avoir peur dans l'obscurité de se blesser. Voilà tout. Mais, continue le docteur, je désire savoir si vous avez le courage d'aller à Paris seul ? 20

— Je pense que oui. Maman disait toujours que j'étais un vrai petit homme.

2

— Et bien, mon enfant, continue le docteur, voici l'histoire de votre papa que votre
5 maman m'a racontée avant de mourir. Vous souvenez-vous de votre papa ?

— Oui, Monsieur, il avait la voix très douce et les mains très blanches.

— Oui, c'est vrai. Ecoutez, Pierre. Voici
10 son histoire. Elle n'est pas gaie. Votre papa était très intelligent. Il avait à Paris un frère aîné qui était un avocat bien connu. Il a appelé son jeune frère, votre père, auprès de lui pour lui donner une bonne éducation.
15 Il lui a trouvé une bonne position. Mais votre père avait de mauvais compagnons. Un jour il a joué et il a perdu une grosse somme d'argent. Pour payer cette somme il a volé beaucoup d'argent à son patron.

20 — Ce n'est pas vrai, crie le petit garçon, mon papa n'était pas un voleur.

3

— C'est votre mère qui me l'a dit. Mais, écoutez, et vous allez plaindre votre père.

C'est son frère aîné qui a rendu l'argent au patron. Mais il a imposé la condition que votre père quitte la France. Alors votre père est allé en Amérique. Il n'y est pas resté longtemps. Il est revenu en France. 5 Il est allé à Saint-Nazaire où il a épousé votre maman. Il a passé le reste de sa vie à chercher un moyen de gagner assez d'argent pour pouvoir rendre la somme à son frère aîné. Il est mort sans le faire. Main- 10 tenant, mon petit ami, il faut oublier la faute et penser seulement au repentir.

— Oui, Monsieur le docteur, répond Pierre en pleurant.

4

— Maintenant voici le désir de votre 15 pauvre maman. Elle vous demande d'aller à Paris et de faire ce que votre papa n'a pas réussi à faire.

— Mais si mon oncle n'a pas désiré revoir mon papa, probablement il ne désire pas 20 voir son fils. Non, Monsieur le docteur, trouvez-moi un peu de travail et laissez-moi rester ici. Je veux être ouvrier comme maman était ouvrière.

— Faites comme vous désirez. C'était le désir de votre maman. Elle pensait que si votre oncle vous voyait il vous aimerait. Elle pensait aussi qu'un jour vous trouveriez peut-être le moyen de payer la dette de votre père.

— Je vais faire tout ce qu'elle désirait, répond le petit garçon.

5

— Très bien, Pierre, dit le docteur, venez avec moi. Quelques clients m'ont donné l'argent pour votre voyage. A Paris demandez où demeure Monsieur Pierre Delsart. Votre oncle s'appelle comme vous. Ainsi vous ne pouvez pas oublier son nom.

Avant de partir Pierre fait un paquet de son linge. Il dit à ses amis qu'il va chez un oncle à Paris. Il ne leur raconte pas l'histoire de son père. Non, il ne peut parler de cette histoire à personne. Mais il ne va pas l'oublier. Il va faire si bien qu'un jour tout le monde oubliera le passé.

La maman de Lisette donne à Pierre une belle pièce de dix sous. Lisette va chercher une petite poupée en porcelaine grande

— On ne sait pas ce qui peut arriver, dit-elle

comme le petit doigt d'un enfant et la met dans son paquet sans le lui dire.

6

Quand Pierre a dit adieu à tout le monde il va chez le docteur. Les enfants du docteur sont très bons pour lui. Ils jouent aux billes ensemble.

Après le dîner le docteur explique à Pierre le chemin à Paris. Il lui dit qu'il faut prendre le bateau jusqu'à Nantes et à Nantes le train jusqu'à Paris. Alors le docteur lui donne l'argent pour le voyage. La femme du docteur lui donne aussi quelques pièces blanches qu'elle coud dans la doublure de sa veste.

— On ne sait pas ce qui peut arriver, dit-elle.

Pierre lui dit merci. Il lui semble que tout le monde est si bon. Malheureusement il va bientôt apprendre que tout le monde n'est pas si bon.

CHAPITRE III

En voyage

1

Le bon docteur va avec Pierre au bateau le lendemain matin. Quand il a dit au revoir, Pierre court après lui.

— Eh bien ! demande le docteur.

— Monsieur le docteur, vous devez me trouver mal élevé. Je ne vous ai pas dit merci. Je ne sais pas comment le faire, mais . . .

Et les yeux de l'enfant ont fini la phrase le mieux du monde.

— Bah ! Nous nous comprenons, n'est-ce pas ? Ecrivez-moi quand vous serez chez votre oncle. Adieu.

Pierre commence son voyage. Il est fier; il n'a pas peur. Il est vrai qu'avec de l'argent dans sa poche et un bon déjeuner de viande froide dans son paquet il ne faut pas beaucoup de courage pour être brave.

Sur le bateau il y a des paysans. Ils

portent des paniers de légumes, de fruits et de poisson à Nantes pour les vendre. Personne ne regarde le petit voyageur assis dans son coin avec son paquet à côté de lui.

2

5 Il est onze heures. Le petit voyageur a faim. Il ouvre son paquet et il mange le pain et la viande. Puis il sort son argent de sa poche et le compte pour s'amuser.

Trois hommes qui jouent aux cartes sur 10 une boîte regardent le petit garçon quand il compte son argent. Ils finissent leur partie de cartes et ils viennent près de Pierre.

— Vous allez à Nantes pour y rester? Nous voyons que vous avez votre paquet 15 avec vous.

— Je vais plus loin, répond Pierre. Je vais à Paris.

— Vraiment, vous y allez seul?

— Maman est morte. Je vais chez un 20 oncle à Paris. Il est avocat.

— Eh bien, dit une autre, nous allons à Paris aussi. Nous prenons des troisièmes.

— Moi aussi, dit Pierre. Est-ce que le train est loin du bateau?

Il sort son argent de sa poche et le compte pour s'amuser

— C'est un peu compliqué. Il faut prendre une rue, puis une autre. Mais nous pouvons y aller ensemble.

— Ah ! Messieurs, que vous êtes bons. Depuis la mort de ma pauvre maman tout le monde est si bon pour moi.

3

Enfin le bateau arrive à Nantes. Cette ville est plus belle et plus grande que Saint-Nazaire. Il y a beaucoup de bruit. Les voyageurs descendent. Pierre reste derrière les trois hommes. Quelle chance d'avoir trouvé de si bons protecteurs !

Un des protecteurs regarde derrière lui et dit :

— Venez-vous, petit ?

— Oui, Monsieur, je viens.

— Voilà la gare, là-bas. Restez ici avec mes compagnons. Je vais chercher les billets. Si le train ne part pas encore je vais acheter quelque chose à manger. J'ai faim.

Pierre ne comprend pas pourquoi ils ne vont pas tous ensemble à la gare, mais il ne dit rien. Il a peur de parler.

L'homme revient bientôt. Il crie de loin :

— Il n'y a pas de troisièmes aujourd'hui.

Pierre commence à pleurer. Que va-t-il faire ? Où va-t-il passer la nuit ?

— Ne pleurez pas, petit, dit un des 5 hommes. Vous allez rester avec nous. Allons acheter quelque chose à manger.

4

Pierre est bien heureux. Ses trois compagnons achètent du pain, du jambon et du vin. Ils trouvent un endroit hors de la ville 10 et s'y installent pour manger. Un des hommes voit une grange. Il dit qu'on dort mieux sur le foin que dans un hôtel. Cela coûte moins cher.

Pierre a bien faim et bien soif. Il demande 15 de l'eau. Les hommes répondent que l'eau est faite pour les canards et le vin pour les hommes.

Pierre, pour montrer qu'il est un homme, boit trop de vin. Les trois hommes le 20 portent dans la grange et Pierre dort sur le foin.

Quand il se réveille il fait du soleil. Il regarde autour de lui. Il ne voit pas ses trois compagnons. Il les cherche. Il ne les trouve pas. Ils ont abandonné le petit garçon.

Il pense à son argent. Il met la main dans sa poche. Sa poche est vide. Alors Pierre
5 comprend enfin que ses trois compagnons étaient trois voleurs.

Comment va-t-il arriver à Paris ? Comment va-t-il trouver son oncle, l'avocat ?

Chapitre IV

Tout seul

1

Pierre commence à trembler. Que va-t-il faire ? Il faut qu'il arrive à Paris, sans argent. La chose n'est pas facile.

Les voleurs n'avaient pas pris son paquet. Il trouve dans son paquet un morceau de 5 pain. Le pain est un peu sec, mais il le mange avec de l'eau. Comme il ferme son paquet, la poupée en porcelaine grande comme un petit doigt d'enfant tombe à terre. Il la ramasse. Il lui semble que sa petite 10 amie Lisette lui dit bonjour. Il met la poupée dans sa poche à la place de l'argent volé. Elle sera un petit camarade pour lui, la poupée de Lisette. Il y a seulement une chose à faire: marcher jusqu'à Paris. Mais com- 15 ment va-t-il manger et où va-t-il coucher ?

Tout à coup il pense aux pièces blanches

dans la doublure de sa veste. Elles y sont encore. Heureusement les voleurs ne les ont pas prises.

Il pense aussi à sa pauvre maman. Il
5 pense qu'il y a seulement trois jours depuis sa mort.

— Ah ! maman, vous allez voir. Je vais faire si bien que vous allez être contente de moi. Je vous promets d'être courageux.

10 Sa maman l'entend peut-être. Elle sait peut-être que dans le cœur de son enfant il y a une grande tendresse et une grande pitié pour tout ce qu'elle a souffert.

2

Pierre continue son chemin. A une petite
15 distance il voit un village. Il achète du pain. On peut vivre avec du pain et heureusement il n'a pas été gâté.

En mangeant le pain il regarde les enfants du village qui jouent dans la rue.
20 Bientôt il met le reste de son pain dans son paquet et il va jouer avec les garçons.

— Mais ce n'est pas comme cela que l'on joue aux billes, dit Pierre. Regardez.

Les autres le regardent jouer. Comme

Pierre joue très bien aux billes tout le monde veut être de son côté.

La partie est très animée. Pierre après tout est encore un enfant et les enfants aiment tous à jouer. Il joue avec tant de passion qu'il oublie son oncle, son voyage et toutes ses grandes résolutions.

3

L'heure du déjeuner arrive. On appelle les enfants. Cela rappelle à Pierre qu'il est seul. Il prend tristement son paquet pour continuer son chemin.

— Et vous, où allez-vous manger ? demande le plus grand des garçons.

— J'ai du pain. Je vais le manger plus tard pour ne pas avoir faim la nuit.

— Où allez-vous coucher ? continue le grand garçon.

— Ah ! je ne sais pas. Je voyage. Je vais à Paris.

— A Paris !

— Oui, je pensais y aller en chemin de fer mais on m'a volé mon argent. Ainsi je vais y aller à pied.

Cette chose était si extraordinaire que le grand garçon dit seulement:

— Adieu, camarade. Nous avons fait une bonne partie de billes, n'est-ce pas ? Adieu.

Le garçon rentre chez lui et Pierre continue tristement son chemin. Il n'a pas fait vingt pas qu'il entend la voix du grand garçon :

— Venez manger la soupe avec nous. Maman veut bien.

Pierre se trouve bientôt à table dans une cuisine de ferme où il y a beaucoup de monde. La soupe aux choux est bonne et son nouvel ami est très bon pour lui.

4

La distance est très longue de Nantes à Paris. Pierre marche pendant des jours et des nuits, par le soleil et par la pluie. Ce n'est pas une partie de plaisir. Il a toujours faim. Il est toujours fatigué. Il ne peut pas acheter beaucoup de pain. Quelquefois une mère de famille lui donne un bon dîner. Ses vêtements et ses souliers tombent en loques. Une chose cependant reste dans sa mémoire : il faut qu'il arrive à Paris.

Un jour arrive où Pierre dépense son dernier sou pour acheter du pain. Il fait très chaud. Il est très fatigué. Sa seule idée est de tomber quelque part et de s'endormir.

Il voit dans un champ des meules de foin. Il enjambe une barrière et tombe près d'une meule de foin sans connaissance, comme 5 mort.

5

Un fermier passe près de la meule où Pierre est couché.

— Holà ! camarade ! On ne dort pas dans mon champ. Allez-vous-en. 10

Le fermier touche l'enfant. Pierre ne remue pas. Alors il le prend dans ses bras. Il y a six mois le fermier a perdu son fils aîné, Jean, un petit enfant de l'âge de Pierre. Il lui semble qu'il tient encore son petit Jean 15 dans les bras.

— Eh ! la maman, où est-elle donc ?

La fermière arrive et regarde le petit garçon.

— Mais, il est mort ! dit-elle. 20

— Non, le cœur bat. Il est sans connaissance.

Bientôt Pierre revient à lui. Il est dans un lit et une jeune femme est à côté de lui.

— Hola ! camarade ! On ne dort pas dans mon champ

— J'ai faim, j'ai faim, murmure-t-il.

La fermière lui donne à manger, mais peu à la fois. Enfin il s'endort profondément.

6

Quand il se réveille il est bien faible, mais il désire continuer son voyage immédiatement. Il n'a pas oublié sa résolution.

Quand la fermière entre, Pierre la regarde en souriant.

— J'ai presque pensé hier que vous étiez ma maman.

— Eh bien, mon petit homme, je vais faire comme si j'étais votre maman. Prenez cette soupe et puis nous parlerons.

Pierre trouve la soupe très bonne. Bientôt il va mieux et il raconte son histoire. On le croit sur parole car il y a dans la vérité un accent qui s'impose. En finissant l'histoire il ajoute:

— Maintenant je ne sais pas comment je vais aller à Paris chercher mon oncle.

— Ecoutez, petit, dit la fermière, mon mari est bien disposé pour vous. Maintenant on loue beaucoup d'ouvriers pour le travail de la ferme. Vous êtes petit mais vous pouvez bien aider les hommes. Dites à mon mari: « Je veux travailler chez vous. » Je suis sûre qu'il vous gardera. Avec l'argent que vous gagnerez vous pourrez continuer 5 votre voyage. Si non, vous pourrez rester à la ferme et devenir cultivateur. Ce n'est pas par charité seulement qu'on désire vous garder.

C'est la grande saison du travail dans les 10 champs. Pierre est souvent fatigué quand il revient des champs le soir. Mais il mange bien et il se fortifie. Il est très heureux chez ces bonnes gens et tout le monde est content de lui.

15 La grande tentation lui vient de rester auprès de ces braves gens. Mais il pense à sa résolution, au désir de sa chère maman et il décide de partir pour Paris. Cette fois Monsieur et Madame Pichon vont avec lui 20 à la gare.

Chapitre V

Le petit Prince Charmant

1

Le son d'une musique de danse, très gaie et très bruyante remplit le salon de Monsieur et Madame Delsart. Dehors il fait froid et triste; mais il y a beaucoup de fleurs dans le salon, et au milieu de ces fleurs on ne pense pas au ciel gris. On fête le dixième anniversaire de naissance de Maurice Delsart par une matinée costumée.

Maurice est un petit garçon blond, un peu frêle, avec de grands yeux bleus. Il porte un costume de Prince Charmant comme dans les contes de fées. Il a de petites culottes de satin blanc brodé d'argent et un petit manteau blanc doublé de bleu clair. Ce que Maurice aime le mieux c'est sa petite épée.

2

Les enfants ne semblent pas s'amuser très bien. Les petites filles restent avec les petites filles, et les petits garçons restent avec les petits garçons.

— Mais, pourquoi les enfants ne s'amusent-ils pas ? demande Madame Delsart.

Son mari qui passe à ce moment lui dit en souriant:

— Pourquoi ne s'amusent-ils pas ? Ils sont gênés par les grandes personnes. Ils désirent jouer à des jeux bruyants. Ils n'aiment pas danser. Allez, Mesdames, prendre une tasse de thé. Dans dix minutes vous allez entendre les enfants s'amuser.

Quand les mamans ont quitté la salle Monsieur Delsart dit:

— Venez ici, Maurice, que je vous bande les yeux.

Bientôt les enfants oublient qu'ils sont costumés et jouent au colin-maillard avec entrain.

3

Monsieur Delsart laisse alors les enfants seuls. Il désire aller fumer dans son bureau. En traversant le corridor il entend du bruit. Il distingue une voix d'enfant.

— Je veux voir Monsieur Delsart. Il

faut que je parle à Monsieur Delsart. Je suis venu de Saint-Nazaire pour le voir. Je vous dis que c'est mon oncle.

— Pourquoi tout ce bruit ? demande Monsieur Delsart. 5

Un domestique répond:

— Monsieur, c'est un petit vagabond qui désire vous parler.

— Monsieur, crie le petit vagabond, écoutez-moi, je vous prie. Il faut que je parle à 10 Monsieur Delsart; il faut que je lui parle. Il y a des mois que je voyage. Je viens de loin pour le voir. Parce que je suis pauvre on me met à la porte.

— Calmez-vous, mon petit homme. Je 15 suis Monsieur Delsart. Que voulez-vous ?

— Monsieur, je désire vous parler seul.

4

Monsieur Delsart hésite un moment, mais les yeux du petit garçon supplient tant qu'il fait entrer le petit Pierre dans son bureau. 20

— Je m'appelle Pierre Delsart, Monsieur. Je suis le fils de votre frère, Maurice Delsart.

Monsieur Delsart regarde longuement l'enfant.

— Qu'est-ce qui me prouve que vous êtes le fils de mon frère ?

— Je vous le dis, Monsieur, et je n'ai jamais menti.

5 Pierre a l'air si fier que l'avocat sourit et dit :

— J'avais un frère, il est vrai, mais il y a quinze ans que je n'ai pas reçu de ses nouvelles.

10 — Ah ! Monsieur, il était toujours si triste. Maman n'a jamais voulu me dire pourquoi. Elle a demandé au docteur de me raconter, après sa mort, l'histoire de mon père. Je sais que vous aviez cause de vous plaindre de lui. 15 Mais si vous saviez comment toute sa vie il a cherché quelque moyen de gagner de l'argent pour vous le rendre. Je suis encore bien petit, mais je crois qu'un jour je pourrai payer la dette de mon père. Maman m'a 20 chargé de cette tâche. Je ne sais pas comment je vais faire cela. Je veux vous être utile à quelque chose. Je suis venu de Saint-Nazaire pour vous dire cela. A Nantes on m'a volé mon argent. J'ai marché pendant 25 des semaines. Je mangeais seulement du pain. Je suis tombé malade. De braves

gens m'ont pris chez eux. J'ai gagné assez d'argent pour faire le reste du voyage en chemin de fer. Ce matin j'ai trouvé votre adresse et me voici. Me croyez-vous maintenant, mon oncle ? 5

5

— Oh ! mon brave petit Pierre, oui, je vous crois, oui, je vous crois sans preuves ! Et mon pauvre frère est mort. Et il vous a donné mon nom. Ah ! mon petit héros ! Ecoutez, il y a longtemps que je lui ai par- 10 donné. Pendant longtemps je l'ai cherché. Il a pris au sérieux ce que je lui ai dit dans ma colère. Voyez-vous, mon enfant, la colère est une vilaine chose. Elle fait du mal aux autres et retourne souvent contre soi-même. 15 Vos chagrins et vos souffrances vont prendre fin. Avant votre arrivée j'avais seulement un fils; j'en ai deux maintenant.

Et l'avocat prend l'enfant dans ses bras.

A ce moment madame Delsart entre. 20

— On vous cherche et vous voilà avec un vagabond, dit-elle.

— Ce vagabond, ma chère amie, est le fils de mon frère.

— Mais vous êtes fou !

— Je pense qu'il y a parmi les vêtements de Maurice quelque chose qui peut aller à Pierre, répond simplement Monsieur Del-
5 sart.

Madame Delsart ne dit rien et quitte le bureau.

Miss Nancy, la gouvernante anglaise, qui élève le petit Maurice, trouve tout de suite un
10 joli costume marin de Maurice qui est assez grand pour Pierre. Pierre ne comprend pas ce que Miss Nancy dit mais elle sourit et il sourit aussi.

6

Monsieur Delsart prend Pierre par la main
15 et les deux entrent ensemble dans le salon.

— Voici un nouveau petit camarade, mes petits amis, dit Monsieur Delsart. Et, Maurice, voici un grand frère. C'est votre cousin, Pierre Delsart. Allons, embrassez-
20 vous.

Maurice a souvent demandé un frère. Il n'aime pas jouer toujours seul. Il regarde Pierre et puis lui met les bras autour du cou.

— Voici un nouveau petit camarade

— Je suis heureux de vous avoir, mon frère, dit-il.

— Voici la présentation faite, continue Monsieur Delsart. Maintenant faisons une partie de loup et d'agneau.

— Oui ! Oui ! crient les enfants.

Pour commencer Pierre est le loup et Maurice est l'agneau.

Monsieur Delsart observe son neveu. Il désire voir s'il est brusque. Monsieur Delsart est rassuré. Une petite fille tombe. Pierre la ramasse doucement. Il est évident que Pierre n'est pas brusque. L'oncle ne sait pas que, pendant que Pierre essuyait les larmes de la petite fille, il pensait à sa petite amie, Lisette, et à la poupée de porcelaine. Il est sûr que la poupée lui a porté bonheur !

Pierre est bientôt l'ami de tout le monde. On crie « Pierre » par ici, « Pierre » par là. En passant près d'un groupe où Madame Delsart parle avec d'autres dames il entend ces paroles:

— Oh ! c'est seulement un petit orphelin que mon mari a pris par charité.

Pierre baisse la tête. Les larmes lui viennent aux yeux. Mais il comprend immédiatement que la femme de son oncle ne peut pas l'accepter comme son oncle. Il prend une résolution bien ferme: que sa tante l'aime un jour aussi.

Chapitre VI

Une vie toute nouvelle

1

Deux semaines après l'arrivée de Pierre chez son oncle notre petit homme écrit au docteur de Saint-Nazaire. Son oncle a déjà écrit au docteur pour le remercier de sa
5 bonté pour le petit garçon et pour lui raconter toutes ses aventures.

Pierre ne trouve pas sa tâche facile. Il ne sait pas encore beaucoup de choses que Maurice sait. Il a été un peu à l'école pri-
10 maire. Mais quand sa maman était malade il était souvent absent. Maintenant il prend des leçons avec Maurice d'un jeune professeur qui vient tous les matins. Le professeur est très content de son nouvel
15 élève.

Voici la lettre que Pierre écrit au docteur Dubois.

Monsieur le Docteur:

Je ne sais pas écrire des lettres. C'est la

Pierre écrit au docteur de Saint-Nazaire

première que j'écris. Vous allez rire peut-être. Mais, Monsieur, je veux vous montrer que je ne suis pas ingrat. Je pense souvent au soir où j'ai dîné avec votre famille et où Madame Dubois 5 a mis les pièces d'argent dans la doublure de ma veste. Ce sont ces pièces qui m'ont sauvé.

Ici je n'ai pas faim. Ah ! c'est un grand changement. Le petit vagabond est devenu un petit monsieur.

10 Tout le monde est très bon pour moi. Mon oncle n'est pas souvent à la maison. Je reste toujours avec mon cousin, Maurice. Nous nous aimons beaucoup. Il aime que je lui raconte ce que je faisais à Saint-Nazaire et à la ferme Pi-15 chon. La maman de Maurice ne m'aime pas beaucoup et c'est naturel. Mais elle ne me chasse pas. Elle m'a dit un jour quand je l'ai appelée « Madame »: « Appelez-moi ma tante. »

Le professeur est content de moi. Il va m'ap-20 prendre à écrire des lettres. Un jour je vais vous écrire une belle longue lettre.

En attendant, Monsieur, je vous suis reconnaissant, à vous et à Madame Dubois et à vos enfants.

25 Pierre Delsart

P.S. Si vous allez à la vieille maison dites à Lisette, s'il vous plaît, que je garde sa poupée. Maurice et moi, nous lui avons fait un joli lit dans une coquille de noix. Maurice aime beaucoup que je lui raconte comment nous jouions ensemble, Lisette et moi.

2

Pierre est reconnaissant de demeurer dans une si belle maison. Il est heureux de jouer avec son cousin et d'étudier avec lui. Cependant il y a des moments où il lui semble être prisonnier dans une tour enchantée comme les princes dans les contes de fées.

Les jours heureux sont ceux où Monsieur Delsart vient passer une heure avec les enfants. L'avocat sait parler aux enfants, une chose que toutes les grandes personnes ne savent pas faire. Il gronde quelquefois, mais doucement. Il sait que les petits garçons ne peuvent pas être parfaits. Le jeune professeur a dit à Monsieur Delsart que Maurice ne travaillait pas bien. Un jour son papa lui dit sérieusement:

— Vous êtes encore bien petit; mais ce que vous êtes maintenant vous le serez probablement plus tard. Je serai bien triste si mon fils ne me fait pas honneur.

— Je n'aime pas cette conversation, dit le petit garçon.

— Je suis sûr que vous ne l'aimez pas, mais je suis forcé de vous dire quand vous me rendez triste.

— Je ne vais plus vous rendre triste, mon 5 petit père chéri. Je vais bien travailler. Venez jouer aux soldats; racontez-nous les batailles de Napoléon.

3

Les jours où Monsieur Delsart ne vient pas dans la chambre des enfants sont un peu 10 monotones. Il y a la promenade avec Miss Nancy après le déjeuner, puis la leçon d'anglais, le jeu, le dîner. Après le dîner les enfants restent quelquefois une demi-heure au salon. Sa tante ne joue jamais avec 15 Pierre.

Il comprend qu'il est naturel que sa tante ne l'aime pas. Il est quelquefois un peu triste mais il ne sait pas pourquoi. Madame Delsart le fait habiller comme son fils, et il 20 reçoit des leçons du jeune professeur comme Maurice. Pierre fait la résolution qu'un jour il va gagner beaucoup d'argent et qu'il payera à Madame Delsart tout ce qu'elle fait pour lui.

Un soir Madame Delsart dit à son fils avec impatience:

— Pourquoi est-ce toujours: « Pierre ici; Pierre là ? »

Madame Delsart regrette ces paroles mais il est trop tard. Pierre les a entendues. Il regarde sa tante. Il a deux grosses larmes dans les yeux. Il dit très doucement à sa tante:

— Madame, désirez-vous que je retourne à la ferme ? Madame Pichon m'a dit de revenir si on ne m'aimait pas ici. Désirez-vous que je ne reste plus ici ? C'est mon intention de gagner de l'argent et de vous payer ce que vous faites pour moi.

Maurice, surpris, met ses bras autour du cou de Pierre et crie:

— Non, non, je ne veux pas. Vous êtes mon frère. Si vous partez je vais avec vous à la ferme Pichon.

Pour calmer son fils Madame Delsart promet que Pierre va rester.

— Vous, dit-elle à Pierre, vous allez rester parce que mon fils a besoin d'un camarade. Mais je ne peux pas vous aimer comme mon enfant. Si vous voulez que je vous aime, tâchez de gagner mon affection.

— Je vais essayer, ma tante.

Pierre dit cela avec un tel désir d'être aimé comme Maurice est aimé que Madame Delsart en est touchée. Après un moment 5 d'hésitation elle dit:

— Eh bien ! Venez m'embrasser, mon neveu. Qui sait ? Un jour, peut-être, je vous accepterai comme le frère de Maurice. Maintenant allez vous coucher tous les deux. 10 Bonne nuit, mes enfants.

Chapitre VII

Maurice tombe malade

1

A la fin de l'hiver le petit Maurice tombe malade. Il est pâle et maigre. Il ne travaille pas; il ne désire pas jouer.

Madame Delsart reste auprès de son lit toute la journée. Elle ne quitte plus la 5 maison. Elle ne sait pas le soigner très bien. Mais elle préfère lui mettre sa chemise à l'envers que de voir Miss Nancy la mettre à l'endroit.

Maurice ne permet pas à Pierre de le 10 quitter. Madame Delsart permet à son neveu de rester car il sait beaucoup plus d'histoires qu'elle. Ce que Pierre a fait à la ferme intéresse le plus le petit malade. Alors Pierre décrit de nouveau la grande cui- 15 sine, la longue table en bois blanc, les jambons et les oignons qui pendent au plafond, puis la bonne soupe aux choux.

— Je veux de la bonne soupe aux choux,

crie le petit malade chaque fois que Pierre en parle.

Madame Delsart supporte beaucoup mieux la présence de Pierre. Elle lui est
5 même un peu reconnaissante.

Un jour Maurice dit à son père:

— Pourquoi êtes-vous avocat ? Si nous avions une grande ferme, et des cochons, et des vaches, et des poules, et maman pour
10 nous apporter un bon déjeuner dans les champs . . .

— Merci, dit Madame Delsart en riant, je ne me vois pas fermière.

— Ah ! je sais que ce n'est pas possible.
15 On ne peut pas avoir tous les bonheurs.

2

Après un moment d'hésitation Monsieur Delsart dit lentement:

— Si vous voulez bien manger ce qu'on vous apporte et prendre toutes vos méde-
20 cines il est possible que je vous montre une vraie ferme. Je vais écrire au fermier Pichon pour lui demander de vous faire une place pour les vacances de Pâques.

— Ah ! papa, crie Maurice.

Maman, crie l'enfant, j'ai faim

— Non, jamais ! répond Madame Delsart. Il n'est pas possible d'envoyer un enfant malade chez des paysans !

— Ma chère, calmez-vous ! Le docteur et moi, nous avons parlé de la chose. Pas maintenant. Mais dans un mois il va faire plus chaud et si Maurice veut tâcher de manger un peu . . . dit Monsieur Delsart en regardant son petit fils.

— Maman, crie l'enfant, j'ai faim. Je veux un œuf à la coque.

Madame Delsart est si contente de voir l'enfant demander un œuf qu'elle rit.

Maurice commence à aller mieux. Avant longtemps il reprend sa vie régulière. Il fait beaucoup mieux ses devoirs. Il ne veut pas que Pierre le dépasse. Monsieur Delsart est très heureux. Il dit un jour à Pierre:

— Vous voyez, mon petit homme, vous m'êtes utile !

Pierre est très heureux d'entendre ces paroles.

Chapitre VIII

A la ferme Pichon

1

Par une belle matinée d'avril, un monsieur et deux enfants descendent à la gare d'Amboise. Monsieur Delsart a tenu sa promesse. Les deux enfants vont passer leurs vacances à la ferme Pichon. Pierre est silencieux. Il reconnaît si bien le pays ! Il ne sait pas dire ce qu'il sent en ce moment, mais il prend la main de son oncle et la caresse. L'oncle comprend très bien à quoi pense l'enfant.

Monsieur Delsart visite la ferme. Il est très content de tout ce qu'il voit. On entre par une grande porte en bois. La cour est très propre. La maison, basse et large, bien séparée des autres bâtiments, est ombragée par de beaux arbres. Il y a des poules qui se promènent. Un gros chien vient regarder les voyageurs. Monsieur Delsart est aussi poli avec Madame Pichon qu'avec la plus grande dame de Paris. La fermière n'est pas embarrassée du tout.

— Quel changement, mon petit Pierre, dit la fermière en regardant le petit garçon qu'elle a sauvé. Et se tournant vers Monsieur Delsart : — Ah ! Monsieur, quand mon mari l'a trouvé il était blanc comme mon tablier. C'est drôle comme on aime ceux qu'on sauve.

— On aime aussi ceux qui vous sauvent, répond Pierre, lui mettant les bras autour du cou.

2

Maurice n'a jamais vu une grande ferme. La grande cuisine avec ses chaises de paille, les jambons pendus au plafond, la grande cheminée avec son pot de fer suspendu au-dessus du feu, tout cela l'étonne. Mais il trouve les bols de bon lait et le pain bis bien meilleurs que le pain et le lait à Paris.

Monsieur Delsart visite la petite chambre à coucher des deux enfants. Il complimente la fermière de la propreté de sa maison et de la ferme. Plus tard la fermière dit à son mari que l'oncle du « petit » est très bien pour un Parisien.

La grande cuisine à la ferme Pichon

Avant de partir Monsieur Delsart regarde la figure pâle de Maurice et lui dit:

— Vous savez, mon enfant, que si vous n'aimez pas la campagne vous pouvez re-
5 venir à Paris. Ce que nous voulons c'est votre bonheur, votre santé. Avez-vous peur de rester ?

— Non, papa, Pierre est avec moi. Cela va être bien amusant.

10 Alors Monsieur Delsart dit sérieusement à Pierre:

— Vous, Pierre, vous êtes le plus âgé. Je vous confie votre cousin. Il n'est pas fort comme vous. Il ne faut pas qu'il se fatigue.
15 S'il n'est pas heureux il faut m'écrire tout de suite. C'est entendu ?

— Oui, mon oncle.

Une heure plus tard, après beaucoup de recommandations, Monsieur Delsart quitte
20 la ferme.

3

Le second jour Pierre et Maurice sont déjà de vrais paysans. Maurice n'a pas peur. Il marche au milieu du troupeau de vaches. Il lui semble que le jour n'est pas assez long pour faire tout ce qu'il y a à faire à la ferme.

Les enfants demandent la permission d'aider Madame Pichon dans sa laiterie.

— Oui, entrez, mes enfants. Je fais le beurre maintenant.

— Le beurre ! Ah, laissez-moi faire le beurre, crie Maurice.

— Eh bien, oui. Voyez, on place de grands bols de lait sur une planche. Quand la crème est montée à la surface, on l'écrème.

— Et ensuite, dit Maurice, que fait-on de la crème ?

— Ensuite il faut battre la crème.

Cela amuse beaucoup les enfants. C'est vrai que cela fatigue un peu, mais ensuite on a un bel appétit. Les joues de Maurice sont déjà roses et ses muscles plus forts.

Les animaux les intéressent le plus. Dans la cour ils donnent du grain aux poules qui ont des petits poussins qui les suivent. Une poule a couvé des canards. Les petits canards veulent aller à l'eau. Cela fait crier la poule et amuse beaucoup les enfants.

Tous les matins les enfants vont chercher les œufs frais. Ils ont aussi la garde spéciale d'une vache blanche et brune. Ils vont loin pour lui chercher du trèfle qu'elle aime beaucoup. Ils passent aussi beaucoup de temps dans leur petit jardin potager. Maurice 5 n'est plus malade. Il n'a jamais été si heureux.

4

Seulement les vacances ne peuvent pas durer toujours et le jour du départ arrive. Monsieur Delsart est très occupé. Ainsi 10 c'est Madame Delsart qui vient chercher les enfants. Elle vient avec l'intention d'être aimable. Elle apporte beaucoup de cadeaux pour les enfants de Madame Pichon.

En examinant son fils, en le voyant si bien, 15 elle dit à la fermière en lui tendant la main:

— Oh ! Madame, je vous suis bien reconnaissante. Il y a deux mois je pensais que j'allais le perdre. Il est terrible de perdre un enfant.

20 — Je le sais, répond la fermière, qui pensait à son petit Jean. Elle ajoute: Et Pierre ne trouvez-vous pas qu'il va bien aussi ?

— Oui, oui, mais Pierre n'était pas malade. Alors comme si elle voyait Pierre pour 25 la première fois elle l'embrasse.

Enfin il faut dire adieu. Au moment de monter en voiture Madame Pichon dit à Pierre en l'embrassant:

— Vous savez, Pierre, si vous n'êtes pas heureux vous pouvez revenir ici pour être 5 fermier comme nous. Votre tante n'a pas l'air d'être bonne comme votre oncle.

— Merci, maman Pichon. Mais si ma tante ne m'aime pas maintenant, elle m'aimera peut-être un jour. 10

Il monte dans la voiture avec sa tante et son cousin. Aussi longtemps qu'ils peuvent voir la ferme ils agitent leur mouchoir. Ils ont été si heureux pendant trois semaines à la ferme. 15

Chapitre IX

La vie de tous les jours

1

Il faut reprendre la vie de tous les jours, les leçons régulières, les promenades avec Miss Nancy. Les enfants trouvent la chose difficile.

5 Monsieur Delsart, un jour, gronde Pierre car il est maintenant aussi paresseux que son cousin. Pierre ne comprend pas que son oncle le gronde par amitié. Il se dit: « je n'ai pas le droit d'être paresseux ou inat-10 tentif; on me paye pour servir de modèle à Maurice. »

Le plus grand défaut de Pierre c'est d'avoir une trop bonne opinion de lui-même. Il aime qu'on remarque sa supériorité. Il est 15 humilié quand il est grondé comme Maurice. Encouragé par le mauvais exemple de son cousin, Maurice ne travaille plus. Un jour Pierre entend Madame Delsart dire à son mari:

— Et bien ! que pensez-vous de votre petit héros maintenant ?

Monsieur Delsart ne répond pas, mais il regarde Pierre d'un air très triste. Pierre le voit et il prend une nouvelle résolution. Il va oublier les plaisirs de la ferme et rattraper le temps perdu.

2

Le mois de juin arrive et il commence à faire chaud. Madame Delsart n'aime pas l'été car il fait trop chaud pour les grands dîners et les bals. Le médecin recommande l'air de la mer pour Maurice. Les enfants parlent des bonnes parties qu'ils vont faire sur la plage. Miss Nancy les quitte pour retourner à Londres. En les embrassant elle leur dit : « Good-bye, my darlings ».

La vie de bains de mer est bien différente de la vie à la ferme Pichon ; mais elle a son charme aussi. La plage est longue. Il y a beaucoup de petites cabines blanches. Il est bien amusant de voir les dames et les messieurs se promener sur de petits bateaux qui dansent sur les vagues. Les enfants apprennent à nager. Maurice aime beaucoup la mer, mais lorsqu'il veut nager sa tête a une tendance à descendre sous l'eau et ses pieds à battre l'air.

Tous les jours après le bain de mer et le 5 déjeuner les deux enfants sont libres. Ils peuvent jouer sur la plage ou lire à l'ombre.

Quelquefois on joue. Il y a beaucoup d'enfants à l'hôtel. Pierre est le plus âgé et le général de la bande.

10 C'est Pierre qui dirige les travaux de cette architecture de sable qui, de tout temps, a occupé les petits « travailleurs de la mer »: ces beaux forts, ces châteaux entourés de fossés pleins d'eau, bâtis avec tant de soins 15 comme si quelques heures plus tard la mer n'allait pas tout détruire.

3

Ce que le général Pierre ne permet pas c'est la cruauté.

— Mais que faites-vous ? dit-il un jour à 20 un petit garçon de la bande.

— Mais je joue avec un crabe, répond le petit garçon.

— Oui, mais que faites-vous à cette pauvre bête ? demande Pierre sévèrement.

C'est Pierre qui dirige les travaux de cette architecture de sable

— Je lui arrache les pattes, répond l'enfant. C'est amusant.

— Mais ne voyez-vous pas que vous faites souffrir la bête ? continue Pierre.

5 Il appelle la bande.

— Regardez, dit-il. Ce petit garçon fait souffrir le pauvre crabe qui ne peut pas se défendre.

Et regardant le petit garçon il lui dit:

10 — Vous êtes en quarantaine. Vous ne pouvez plus jouer avec nous.

Toute la bande part et laisse le petit garçon seul.

Au bout de deux jours le petit garçon de-
15 mande grâce.

— Personne, dit-il, ne m'a jamais défendu d'arracher les pattes aux crabes. Puisqu'ils ne crient pas, je ne savais pas que cela leur faisait mal.

20 Depuis ce jour les petits enfants n'ont plus fait mal aux bêtes.

4

Un jour qu'il fait très chaud Pierre et Maurice vont chercher une place à l'ombre pour lire.

— Venez, Pierre, dit Maurice. Je sais où il y a un beau petit coin où il fait bien frais.

— Non, non ! Vous savez bien qu'on nous a dit de ne pas aller dans ce coin-là. On ne peut pas sortir de là quand la marée monte et on ne peut pas y descendre d'en haut. Non, restons ici. Il fait bon.

On est bien à l'ombre dans le coin choisi par Pierre. Le sable est doux et les rochers servent de sièges. Pierre lit « Simbad le Marin ». Il trouve l'histoire très intéressante. Il lui semble qu'il est un des personnages du livre.

Maurice ne trouve pas son livre si intéressant. Il le met de côté pour lire avec son cousin, mais il n'aime pas cela. Alors il veut parler à Pierre, mais Pierre est trop absorbé dans son livre. Il décide d'aller visiter le coin où il voulait aller lire. Il jette un regard vers Pierre et part vers les rochers. Pierre ne le voit pas partir.

A ce moment-là Pierre lit la page de l'histoire où Simbad et ses camarades arrivent à ce qu'ils prennent pour une petite île noire. Ils y font du feu. L'île qui est une énorme baleine n'aime pas le feu sur son dos. Elle plonge dans l'eau avec Simbad et ses camarades sur le dos. Ceci fait rire Pierre.

Il lui semble que quelque chose répond à son rire, un cri de terreur. Il croit reconnaître la voix de Maurice. Il regarde autour de lui. Maurice n'est pas là. Alors comme un éclair la réalité lui vient. Il sait d'où vient ce cri. Il monte la falaise en courant.

Chapitre X

L'Accident

1

Du haut du rocher Pierre voit en bas Maurice étendu sur le sable, immobile. Pierre appelle mais il n'y a pas de réponse. Son cousin est tout blanc. Est-il mort ?

Que faire ? Il n'y a personne en vue. 5 Tout le monde est sur la plage. Il n'a pas le temps d'aller chercher quelqu'un. La marée monte. La dernière vague a presque touché Maurice. Dans quelques minutes le coin va être couvert d'eau. Il n'y a qu'une 10 chose à faire: descendre et porter l'enfant vers la terre ferme avant que l'eau arrive.

Pierre se sent très calme; il n'a pas peur. Il fait une petite prière car il sait que s'il glisse il peut se tuer. Alors il commence à 15 descendre.

La descente n'est pas facile. Il y a des endroits qui sont comme les murs d'une maison. Il avance très lentement. Tout à coup il

arrive à un fragment de rocher qui forme une marche plus large que les autres où il peut mettre les deux pieds. Il regarde sous cette petite plate-forme. Il est encore à une con-
5 sidérable distance de l'eau. Comment arriver à Maurice ?

A ce moment il ose regarder son cousin. Il jette un cri de terreur. Déjà la marée arrive à l'enfant immobile et pâle. Que
10 faire ? Pierre est au-dessus de l'eau. Il s'élance et tombe dans l'eau. Heureusement l'eau n'est pas profonde. Vite il court vers Maurice. Il prend son cousin dans ses bras, le tire de l'eau et le pose tendrement
15 sur le sable sec. Pierre voit qu'en tombant Maurice s'est cassé le bras gauche. Pierre qui a été si brave jusqu'à ce moment se met à pleurer. Comment appeler au secours ? Il agite son mouchoir.

20 Il monte sur le plus haut des rochers. Il recommence à agiter son mouchoir et à crier de toutes ses forces. Personne ne vient. Il sent ses forces l'abandonner, mais machinalement il continue à agiter son mouchoir.

Il recommence à agiter son mouchoir

2

Enfin il entend une voix d'homme derrière lui:

— Mais qu'avez-vous, mon enfant? Que faites-vous là?

5 — Ah! Monsieur, ah! Madame, vite, vite! Maurice, il est tombé de là-haut.

— Prenez l'enfant dans vos bras, dit une douce voix de femme. Il va tomber.

Pierre connaît le jeune couple. On dit à 10 l'hôtel que ce sont de jeunes mariés. Ils vont souvent se promener en bateau.

Le jeune marié prend Pierre et le met dans les bras de sa femme. Elle l'enveloppe de son manteau. Son mari descend sur la plage, 15 lève le petit Maurice et le pose doucement dans le bateau.

— Comment cela est-il arrivé? demande le jeune homme à Pierre.

— Monsieur, nous lisions. Tout à coup 20 j'ai entendu un cri. Maurice n'était plus à côté de moi. J'ai compris tout de suite où il était. J'ai couru vers le bord de la falaise et du haut d'un rocher j'ai vu mon cousin étendu sur le sable. Je n'avais pas le temps d'aller à l'hôtel. Alors j'ai décidé de descendre pour le sauver de la marée montante.

— Descendu ? Mais comment ?

— Mais, par là, répond Pierre, en montrant le mur de rochers. 5

La jeune mariée embrasse Pierre. Elle montre à son mari les mains et les jambes de l'enfant, écorchées et couvertes de sang. Pierre voit qu'elle pleure. Il croit qu'elle pense que Maurice va mourir. Il dit d'une 10 voix tremblante:

— Il ne va pas mourir, Madame, il ne va pas mourir, n'est-ce pas ?

3

A l'hôtel tout le monde cherche les enfants. Quand Madame Delsart voit Mau- 15 rice dans les bras du monsieur elle crie:

— Il est mort ! Il est mort !

— Non, Madame, voyez, il a repris connaissance. Il a seulement le bras cassé. Le monsieur pose l'enfant sur un lit et demande 20 l'adresse de Monsieur Delsart. Il lui envoie une dépêche. En attendant que Monsieur Delsart arrive de Paris le jeune marié va chercher le médecin de l'hôtel. Alors la jeune mariée quitte la chambre du petit malade, après avoir embrassé de nouveau Pierre qu'on a oublié.

Pierre reste à regarder son cousin. Chaque
5 cri lui fait aussi mal que si c'était lui-même qui souffrait. Tout à coup Madame Delsart voit Pierre. Elle est furieuse.

— Allez-vous-en ! lui dit-elle. C'est vous qui avez mené mon fils au danger. C'est
10 votre faute s'il est blessé. Je vous déteste. Allez-vous-en !

Pierre la regarde très effrayé. Jamais il n'a vu une colère pareille. L'idée ne lui vient même pas de dire: « C'est moi qui l'ai
15 sauvé ».

Il quitte la chambre avec le sentiment d'une terrible injustice.

On a porté le lit de Maurice dans la chambre de sa mère. Ainsi Pierre est seul
20 dans la chambre qu'il partage ordinairement avec son cousin. Il tombe dans un coin, trop malheureux même pour pleurer. Il écoute pendant quelques minutes les cris de Maurice qui le font trembler.

25 Il répond: « Maurice, Maurice, » comme si son cousin pouvait l'entendre.

Pierre a très mal à la tête et il est très triste. Il aime Maurice comme un frère et il trouve injuste qu'on le chasse de la chambre.

Enfin en pensant à sa tante il s'endort sur sa chaise, la tête contre le mur. 5

4

Quand il se réveille il fait nuit. Il entend du bruit dans la chambre à côté. Il entend la voix de son oncle. Il se lève avec difficulté. Tout son petit corps souffre. Tout 10 doucement il ouvre la porte. Il voit Monsieur Delsart. Il voit un médecin. Tout à coup il entend Maurice crier:

— Je veux Pierre, je veux Pierre.

— Me voici, répond Pierre. 15

Pierre va immédiatement près du lit de son cousin et lui prend la main.

— Dites à cet enfant de sortir, dit le médecin d'une voix dure.

— Allez-vous-en, dit son oncle. 20

Pierre a les larmes aux yeux. Ce n'est pas dit de la même façon que le « allez-vous-en » de sa tante, mais ce sont les mêmes paroles.

— Je veux qu'il reste, crie le petit malade.

— Monsieur, dit Pierre, je vous promets d'être bien tranquille. Je vais lui tenir la main. Cela lui donnera du courage.

Le médecin regarde l'enfant et lui dit:

5 — Vous pouvez rester, mon petit.

Quand tout est fini le médecin lui dit:

— C'est fini, mon petit homme. Votre frère ne souffre plus.

Le médecin croit que Maurice est son 10 frère. Cela lui fait plaisir.

— On peut faire venir Madame Delsart maintenant, continue le médecin.

Quand Pierre entend ces mots il embrasse son cousin et le quitte. Puis il retourne 15 seul dans sa chambre. Sans doute son oncle pense comme sa tante, mais il n'a pas la force de penser à cette injustice. Il se jette sur son lit. Il a la fièvre. Il lui semble qu'il est de nouveau dans la mansarde à Saint-20 Nazaire avec sa pauvre maman et il répète continuellement ces mots:

— Maman, ma chère petite maman.

CHAPITRE XI

Frères

1

Le lendemain matin la jeune mariée vient frapper à la porte de Madame Delsart pour avoir des nouvelles du petit malade.

— Entrez, chère Madame. Comment vous remercier de ce que vous et votre mari 5 avez fait pour nous.

— Oh ! nous avons fait très peu. Si votre fils n'est pas mort ce n'est pas nous qui l'avons sauvé.

— Mais qui alors, chère Madame ? de- 10 mande Madame Delsart.

— Mais son cousin, le petit Pierre.

— Comment cela ? Je pensais que Pierre était la cause de l'accident.

— Mais il ne vous a pas raconté comment 15 l'accident était arrivé ?

— Non, dit Madame Delsart, un peu embarrassée, se rappelant sa colère.

Alors ce que Pierre n'a pas raconté la jeune

femme le raconte avec émotion. En terminant elle dit :

— Où est-il ? Je désire l'embrasser.

— Oh ! au milieu de nos émotions nous
5 l'avons oublié. C'est lui qui a tenu la main du petit Maurice pendant l'opération. C'est lui qui lui a donné du courage. Du reste, ajoute Madame Delsart, il est assez grand pour se coucher seul.

10 Monsieur Delsart va vite dans la chambre à côté. Une exclamation douloureuse amène les deux femmes auprès de lui. Pierre toujours dans ses vêtements mouillés est sur son lit. Il ne reconnaît personne, ni son
15 oncle, ni sa tante. Il répète continuellement : « Maman, maman, ma petite maman ».

Quand le médecin arrive, il trouve que Pierre a une fièvre très grave.

20 Madame Delsart ne quitte plus la chambre de Pierre. C'est elle qui le soigne maintenant. Elle est toute changée. On s'attache beaucoup à un enfant malade que l'on soigne. C'est une joie quand le médecin dit :
25 « La fièvre a diminué aujourd'hui ».

Un jour quand Madame Delsart caresse

son front brûlant Pierre l'appelle « maman ».

— Oui, répond-elle, je serai votre maman. Je vous le promets.

Quand Monsieur Delsart entre dans la chambre de Pierre il l'entend qui murmure: « la dette, la dette de mon papa ». Il a l'air de parler avec sa maman et de dire qu'il fait de son mieux, mais que c'est difficile.

Monsieur Delsart prend la main de son petit neveu et lui dit doucement:

— Mon pauvre petit Pierre, nous sommes bien quittes.

Le mot « quittes » frappe l'oreille de l'enfant et un sourire radieux illumine sa pauvre figure. Il semble complètement heureux. Il répète le mot « quittes ». « Nous sommes quittes, maman, nous sommes quittes. Qui le dit ? Vous entendez, maman, quittes, quittes. »

2

C'est une grande joie quand on sait dans l'hôtel que le petit Pierre va mieux. Tous les enfants lui apportent leurs jouets. Les petites filles lui apportent leurs poupées.

Cela lui rappelle la poupée de Lisette qu'il a toujours gardée.

Pierre remarque qu'il y a une différence dans les personnes qui l'entourent. Il y a 5 une douceur qui n'existait pas avant sa maladie. Il ne comprend pas que tout le monde est gai et content parce qu'il va mieux.

Un jour il apprend que son oncle et sa tante ont refusé de sortir pour rester avec 10 lui. Il dit à sa tante:

— Ma tante, je suis presque bien maintenant. Quand j'étais malade il était naturel de vous voir près de moi. Maintenant il me semble que je vous vole votre plaisir.

15 — Eh bien ! mon petit Pierre, faites comme lorsque vous étiez malade. Quand vous aviez la fièvre vous m'appeliez: « maman, ma petite maman ». Continuez à m'appeler ainsi maintenant si vous voulez 20 me faire plaisir. Je ne suis plus votre tante, une vilaine tante qui ne vous aimait pas; je suis votre maman. Vous avez sauvé mon fils, et par la même action vous m'avez donné un second fils. Et j'aime mes deux fils d'une 25 tendresse égale. Comprenez-vous ?

Ah ! oui, il comprend. Il a réussi à faire

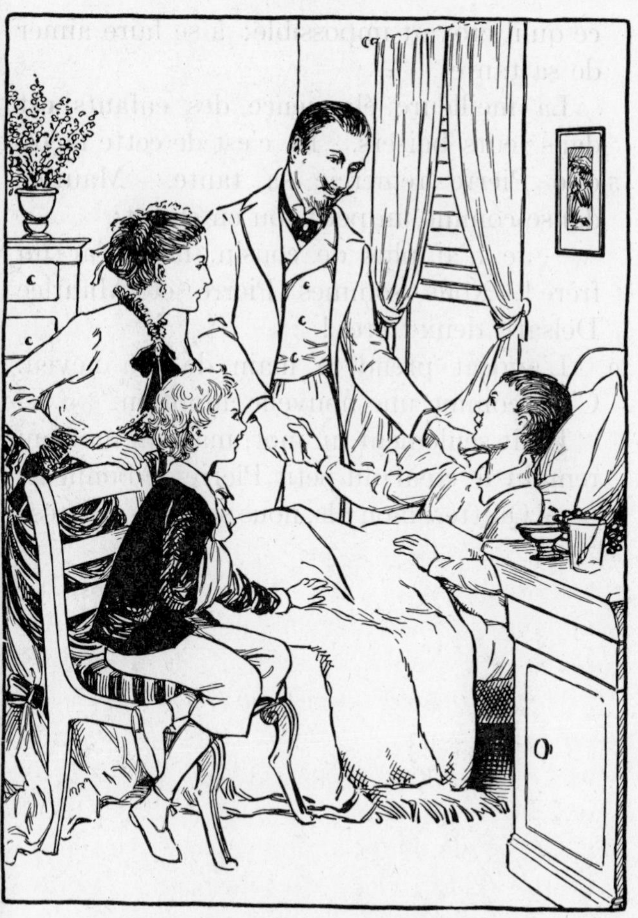

— Quittes, mon fils, nous sommes quittes !

ce qu'il croyait impossible: à se faire aimer de sa tante.

La meilleure éloquence des enfants est dans leurs baisers. Et c'est de cette façon 5 que Pierre remercie sa tante. Maurice danse comme un petit fou en criant:

— Je n'ai plus de cousin, mais j'ai un frère ! Nous sommes Pierre et Maurice Delsart, deux frères !

10 L'avocat prend la main de son neveu. C'est comme une nouvelle adoption.

Il dit seulement un mot, mais un mot qui remplit le cœur du petit Pierre de bonheur:

— Quittes, mon fils, nous sommes quittes !

AUCASSIN ET NICOLETTE

The story of "Aucassin et Nicolette" was written in the second half of the twelfth century, about the time that William of Normandy conquered England. The author is unknown. It is one of the most charming love stories of the middle ages and has remained popular throughout the many centuries of its existence. The story is told in the language in which French children love to hear it.

Le comte Bougart de Valence fait la guerre au comte Garin de Beaucaire

Chapitre I

Comment Aucassin de Beaucaire veut épouser Nicolette et comment son père ne le veut pas.

Le comte Bougart de Valence fait la guerre (*is waging war against*) au comte Garin de Beaucaire. Tous les jours les chevaliers du comte Bougart attaquent les portes de la ville. Ils brûlent (*burn*) 5 les champs du comte Garin et tuent (*kill*) ses hommes.

Le comte Garin est très vieux. Il ne peut plus se battre (*fight*). Il a seulement un fils, Aucassin. 10

Aucassin est beau et grand. Il a les cheveux blonds, les yeux riants (*laughing*), et les joues roses. Il a tant de bonnes qualités qu'on dit qu'il n'a pas de mauvaises qualités.

Il veut se marier avec Nicolette. Son 15 père ne le veut pas. Ainsi Aucassin refuse de se battre et de défendre les terres (*possessions*) de son père avant que son père lui donne pour femme son amie, Nicolette.

Mais chaque fois qu'Aucassin parle de se marier avec Nicolette le comte Garin répond toujours à son fils:

— Fils, cela ne peut pas être. Oubliez 5 Nicolette. C'est une captive qui a été amenée (*brought*) du pays des Sarrasins par le vicomte de la ville. Un jour elle épousera un jeune garçon qui gagnera son pain honorablement. Si vous voulez vous marier je 10 vous donnerai la fille d'un roi ou d'un comte.

— Non, père, répond Aucassin. Il n'y a pas de fille plus noble au monde que ma Nicolette, si douce et franche de cœur (*open hearted*).

Chapitre II

Comment Nicolette est mise en prison par suite de la grande colère du méchant comte de Beaucaire

Quand le comte Garin de Beaucaire voit qu'il ne peut pas détourner (*turn away*) son fils, Aucassin, de l'amour de Nicolette, il va trouver le vicomte de la ville et lui parle ainsi: 5

— Sire vicomte, débarrassez-moi de Nicolette, votre captive. Aucassin, mon fils, ne veut rien faire pour moi parce que je ne veux pas lui donner Nicolette. Aussi, prenez garde, si je trouve Nicolette je la brûlerai 10 sur un bûcher (*I shall burn her at the stake*).

— Sire, répond le vicomte, je ne désire pas qu'Aucassin parle à Nicolette. J'ai acheté cette jeune fille et je désire lui donner pour mari un jeune homme qui gagnera sa vie 15 honorablement. Mais parce que vous le désirez je vais l'envoyer dans un pays si loin que vous ne la verrez (*shall never see*) plus.

Dans une chambre au haut de la tour il enferme Nicolette

— Prenez garde, dit le comte Garin, car vous connaissez ma colère.

Le vicomte est un homme riche. Il a un beau château. Dans une chambre au haut de la tour (*tower*) il enferme Nicolette avec 5 une vieille dame pour lui tenir compagnie.

On y porte beaucoup de pain, de la viande, du vin et tout ce qui est nécessaire. Alors le vicomte fait sceller la porte (*has the door sealed*). Il reste seulement une petite fe- 10 nêtre par où entre un peu d'air frais.

Nicolette est en prison. Elle a grand chagrin. Elle regarde par la fenêtre et elle voit les roses dans le jardin. Elle voit les arbres et elle entend les oiseaux. Elle est triste et 15 elle dit:

« Hélas ! je suis seule. Aucassin, mon ami, je suis votre amie et vous m'aimez aussi. Pour vous je suis en prison, mais je n'y resterai pas longtemps. » 20

Chapitre III

Comment Aucassin est triste d'avoir perdu Nicolette

Nicolette est en prison. Tout le monde pense que Nicolette est perdue.

Quand Aucassin entend cela il est bien malheureux. Il va chez le vicomte et lui dit:

5 — Sire vicomte, qu'avez-vous fait de Nicolette, mon amie, la chose que j'aime le plus au monde ? Si je meurs de chagrin (*grief*) c'est parce que vous m'avez pris la chose que j'aime le plus au monde.

10 — Beau sire, répond le vicomte, oubliez cette jeune fille. Nicolette est une captive. Prenez pour femme la fille d'un roi ou d'un comte. Ne pensez plus à Nicolette car vous ne la verrez plus (*will see her no more*). Si 15 votre père vous voyait parler à Nicolette il la ferait brûler (*would have her burned*) sur un bûcher et moi aussi.

— Cela me rend malheureux, dit Aucassin.

Aucassin est très triste. Il retourne à son 20 château et il s'enferme dans sa chambre. Il pense à sa douce amie, Nicolette.

Aucassin est très triste, il pense à sa douce amie

Chapitre IV

Comment Aucassin offre un bon accord à son père le méchant comte de Beaucaire

Pendant qu'Aucassin est dans sa chambre et qu'il pense à sa Nicolette le comte Bougart n'oublie pas la guerre avec son voisin, le comte Garin qui est le père d'Aucassin.

5 Au plus fort de la bataille le comte Garin vient dans la chambre de son fils.

— Fils, dit-il, on attaque notre château. Si nous le perdons vous perdez tout votre héritage. Alors prenez vos armes, montez 10 à cheval et défendez vos terres. Si nos hommes vous voient combattre avec eux ils auront plus de courage car vous êtes si grand et si fort.

— Père, répond Aucassin, que dites-vous ? 15 Je ne ferai rien si vous ne me donnez pas Nicolette, ma douce amie.

— Fils, dit le comte Garin, je ne ferai pas cela. J'aime mieux perdre tout ce que je

Père, je ne ferai rien si vous ne me donnez pas Nicolette

possède que de vous donner cette jeune fille pour femme.

Le comte quitte la chambre, mais Aucassin le rappelle.

5 — Père, dit-il, écoutez bien. Je prendrai les armes et j'irai au combat avec la promesse que si Dieu me ramène sain et sauf (*safe and sound*) vous me laisserez voir Nicolette, ma douce amie, le temps de lui dire 10 deux paroles et de l'embrasser une fois.

— Bien, dit le père, et il lui donne sa parole.

Aucassin est tout joyeux.

Chapitre V

Comment Aucassin fait prisonnier le comte Bougart, mais le met en liberté parce que son père n'a pas tenu sa promesse

Aucassin prend ses armes et monte sur son cheval. Le jeune homme est grand et fort, beau et gracieux. Ses armes brillent, son

Aucassin prend ses armes et monte sur son cheval

cheval est vif et rapide. Ses ennemis reculent (*retreat*) devant lui. 5

Mais alors Aucassin pense à Nicolette que

bientôt il va revoir. Il oublie ses ennemis. Il oublie son cheval qui l'emporte au milieu de l'ennemi.

« Ah ! dit-il, bientôt je vais être prisonnier. 5 Je ne verrai plus ma Nicolette que j'aime tant. Mais j'ai encore ma bonne épée (*sword*) et mon cheval est vif et rapide. Si je ne me défends pas pour l'amour de Nicolette elle ne m'aimera plus. »

10 Le jeune homme est grand et fort, son cheval est vif et rapide. Il prend son épée et frappe (*strikes*) à droite et à gauche.

Le comte Bougart arrive au combat. Il désire mettre à mort son ennemi, Aucassin. 15 Mais à ce moment Aucassin le frappe de son épée, le fait prisonnier et l'amène (*brings*) à son père.

— Père, dit Aucassin, voilà votre ennemi. Il est mon prisonnier. Il y a vingt ans que 20 vous désirez ce prisonnier. Maintenant tenez votre promesse.

— Bah ! Quelle promesse, mon fils ?

— Oh père ! l'avez-vous oubliée ? Ne m'avez-vous pas promis que si Dieu me 25 ramenait sain et sauf vous me laisseriez voir Nicolette, ma douce amie ?

— Moi ! Je la brûlerais plutôt sur un bûcher que de vous laisser voir Nicolette.

— C'est, père, votre dernier mot ?

— Oui, dit le père.

Alors Aucassin se tourne vers le comte Bougart, son prisonnier. Il lui dit de monter sur son cheval et il le mène (*leads*) aux portes de la ville.

— Je vous rends votre liberté, dit Aucassin au comte Bougart.

Chapitre VI

Comment Nicolette se sauve de la tour où elle était enfermée

Quand le comte Garin voit qu'Aucassin ne veut pas oublier Nicolette, il met son fils dans un donjon noir. Ainsi tous les deux sont captifs, Nicolette dans sa tour, Au-
5 cassin dans son donjon.

C'est le mois de mai quand les jours sont clairs et que les oiseaux chantent. Nicolette pense à son ami.

Elle regarde la vieille dame qui dort. Elle
10 se lève doucement. Elle prend des draps (*sheets*) et les noue (*ties*) ensemble et fait une corde. Elle attache cette corde à son lit et se laisse glisser (*slide*) dans la cour. Elle traverse la cour, ouvre une porte et sort
15 dans les rues de Beaucaire.

Elle arrive au château où Aucassin est prisonnier. Elle entend Aucassin qui pleure (*mourns*) sa douce amie et elle lui dit:

— Aucassin, noble baron, ne pleurez pas.

Je ne serai jamais votre femme car votre père ne le veut pas. Je vais quitter le pays et traverser la mer.

Alors elle coupe une boucle de ses cheveux et la jette dans le donjon. Puis elle quitte 5 Aucassin et elle marche vers les portes de la ville. Elle quitte la ville et pénètre bientôt dans la forêt.

Chapitre VII

Comment Nicolette charge les bergers d'un message pour Aucassin

Quand le jour est venu dans la forêt les bergers (*shepherds*) y arrivent avec leurs animaux.

Nicolette court à eux.

5 — Beaux enfants, dit-elle, que Dieu vous bénisse (*May God bless you*).

— Dieu vous aide, répond un des enfants qui parle mieux que les autres.

— Beaux enfants, continue Nicolette, con-10 naissez-vous Aucassin, le fils du comte Garin ?

— Oui, nous le connaissons bien.

— Dites-lui, s'il vous plaît, beaux enfants, de venir chasser (*hunt*) dans la forêt. Il y 15 trouvera une bête qui lui sera plus précieuse que cent pièces d'or, ou que cinq cents, ou que toutes autres richesses.

Alors celui qui parle mieux que les autres répond:

— Beaux enfants, dit-elle, que Dieu vous bénisse

— Nous ne lui dirons pas (*will not tell*) cela car il n'y a pas dans cette forêt de bête si précieuse. Passez votre chemin et ne restez pas plus longtemps près de nous.

5 — Ah ! beaux enfants, continue Nicolette, je vous prie, dites cela à Aucassin car s'il trouve cette bête il sera guéri de son chagrin. J'ai ici cinq sous. Prenez-les et dites-le-lui. Dites-lui aussi de venir avant trois jours ou 10 il ne verra jamais la précieuse bête et il ne sera jamais guéri de son chagrin.

— Eh bien ! répond le garçon, nous prendrons les sous et nous le dirons à Aucassin s'il vient à la forêt, mais nous n'irons pas 15 le chercher.

— Adieu, dit Nicolette.

Elle continue son chemin dans la forêt. Enfin elle arrive à une place où il y a sept chemins qui se croisent (*intersect*). Là elle 20 fait une petite maison de belles fleurs. Puis dans un buisson (*bush*) voisin elle se cache (*hides*) pour voir si quelqu'un viendra.

Chapitre VIII

Comment Aucassin se met à chercher Nicolette

La rumeur va par tout le pays que Nicolette est perdue. Il y a des personnes qui disent qu'elle s'est sauvée (*ran away*); d'autres qui disent que le comte Garin l'a fait tuer (*had her killed*). 5

Alors le comte Garin laisse son fils, Aucassin, sortir de prison et il donne une grande fête en son honneur.

Pendant que tout le monde est joyeux Aucassin reste sur un balcon, seul et triste. 10 Alors un de ses chevaliers vient à lui et lui dit:

— Aucassin, j'ai été triste comme vous. Je vous donnerai un conseil (*advice*) si vous le désirez. 15

— Sire, répond Aucassin, un bon conseil est précieux.

— Montez à cheval, dit l'autre, et allez

vous promener dans la forêt. Vous verrez des fleurs et des arbres, et vous entendrez chanter les oiseaux. Vous entendrez peut-être parler de choses qui vous intéressent.

— Sire, répond Aucassin, je vais le faire.

Bientôt Aucassin se trouve dans la forêt. Quand les bergers le voient venir sur son cheval ils se mettent à chanter:

« Que Dieu aide Aucassin et la belle jeune fille aux yeux bleus, aux cheveux blonds, qui nous a donné de l'argent ! Avec les sous nous achèterons des gâteaux et des couteaux, des flûtes et des trompettes. Que Dieu aide la jeune fille ! »

Quand Aucassin entend chanter les bergers il pense que Nicolette a passé par là.

— Beaux enfants, dit Aucassin, Dieu vous bénisse !

— Dieu vous aide, répond celui qui parle mieux que les autres.

— Beaux enfants, chantez la chanson que vous chantiez.

— Nous ne la chanterons pas, dit celui qui chante mieux que les autres.

— Je vous prie, beaux enfants, chantez

— Sire, voici l'histoire

pour moi et prenez ces dix sous que j'ai dans ma bourse.

— Sire, nous prendrons les sous, mais je ne chanterai pas parce que je l'ai dit, mais je vous raconterai la chose.

— Eh bien ! dit Aucassin. J'aime encore mieux cela.

— Sire, voici l'histoire. Une jeune fille a passé près de nous. Elle était si belle, nous avons pensé qu'elle était une fée. Elle nous a donné des sous et nous lui avons promis de vous dire d'aller chasser dans cette forêt une bête si merveilleuse qu'elle vous sera plus précieuse que cent pièces d'or. Si vous trouvez cette bête avant trois jours vous serez guéri de votre chagrin. Mais si vous ne la trouvez pas vous ne la verrez jamais.

Beaux enfants, merci, dit Aucassin.

CHAPITRE IX

Comment Aucassin retrouve Nicolette et va avec elle jusqu'au bord de la mer

La nuit est belle et calme. Aucassin continue son chemin jusqu'à la place où se croisent les sept chemins. Il voit devant lui la maison de fleurs que Nicolette a faite.

« Ah ! dit-il, Nicolette a passé par ici. Elle a bâti cette maison de ses belles mains. Je vais descendre ici et y rester la nuit. »

Il se couche et entre les branches du toit il voit les étoiles (*stars*). Une étoile brille plus que les autres.

« Etoile que je vois, dit-il, si vous voyez ma Nicolette que j'aime tant, dites-lui que je suis ici. »

Nicolette qui est derrière un buisson entend ces paroles d'Aucassin. Vite elle arrive près de lui. Elle entre dans la maison. Elle lui jette les bras autour du cou et elle lui dit:

— Beau doux ami, que je suis heureuse de vous trouver !

— Belle douce amie, que je suis heureux de vous trouver ! répond Aucassin.

Après quelques moments Nicolette lui dit:

— Beau doux ami, pensez à ce que nous
5 allons faire. Si on me trouve ici on me tuera (*they will kill me*).

— Belle amie, cela me ferait beaucoup de chagrin. Si je peux ils ne vous trouveront pas.

10 Aucassin monte sur son cheval et prend son amie devant lui. Ensemble ils sortent de la forêt. Ils passent les rivières et les monts (*mountains*), les villes et les villages. Ils arrivent au bord de la mer.

CHAPITRE X

Comment Aucassin et Nicolette arrivent au pays du roi de Ture-Lure et après trois ans sont faits prisonniers par les Sarrasins

Au bord de la mer Aucassin voit passer un bateau. Il appelle les marins et il les prie de leur permettre de monter dans le bateau.

Au bord de la mer Aucassin voit passer un bateau

Quand ils sont sur la mer, il y a une tempête qui les mène à un pays étranger, le pays de Ture-Lure.

Ils descendent du bateau et disent adieu 5 aux marins. Aucassin monte sur son cheval, sa douce amie devant lui et son épée à la main. Ils vont au château du roi qui les reçoit très bien.

Pendant trois ans ils restent dans ce château 10 et ils sont très heureux. Mais un soir les Sarrasins arrivent et attaquent le château. Ils prennent Aucassin et Nicolette. Ils mettent Aucassin dans un bateau et Nicolette dans un autre bateau. Une tempête 15 sépare les deux bateaux. Le bateau sur lequel se trouve Aucassin voyage pendant longtemps et arrive enfin au château de Beaucaire.

Quand les gens de Beaucaire voient le fils 20 de leur comte, grande est leur joie. Pendant son absence son père et sa mère sont morts. Ainsi les gens de Beaucaire le nomment comte de Beaucaire.

Aucassin possède ses terres, cependant son 25 cœur est triste car il pense à son amie, Nicolette. Il parle ainsi:

« Douce amie, je ne sais où vous chercher. Il n'y a pas de pays où je n'irais (*would not go*) si je pensais vous y trouver. »

Chapitre XI

Comment Nicolette retrouve sa famille, refuse de se marier, se sauve et retrouve Aucassin

Le bateau d'Aucassin l'a mené à Beaucaire. Le bateau de Nicolette la mène à Carthage où elle retrouve son père qui est roi de ce pays.

5 Le roi est bien heureux de retrouver sa fille qu'il n'a pas vue depuis quinze ans. On fait une grande fête en son honneur. Son père veut qu'elle se marie avec un roi, mais elle refuse de se marier. Elle pense toujours 10 à son ami, Aucassin, et cherche toujours un moyen d'aller le trouver.

Un jour elle se procure une viole et apprend à en jouer. Enfin une nuit elle se sauve du château. Elle se frotte (*rubs*) la figure 15 (*face*) avec une herbe qui la rend noire et elle achète un costume de musicien. Elle prend sa viole et va trouver un marin. Elle le prie de la prendre dans son bateau.

Elle pense toujours à son ami Aucassin

Un jour elle arrive en Provence. Elle descend du bateau avec sa viole. Jouant et chantant tout le long du chemin elle arrive au château de Beaucaire où demeure Aucassin.

Aucassin est sur le balcon de son château avec ses barons. Nicolette s'avance, elle prend sa viole et, déguisée, elle parle ainsi:

« Ecoutez, nobles barons, le chant d'Aucassin, noble baron, et de Nicolette la douce.

« Aucassin aimait Nicolette et l'a cherchée dans la forêt. Ensemble ils sont allés au pays de Ture-Lure. Les Sarrasins les ont pris captifs et les ont séparés. Où Aucassin est on ne sait pas, mais la douce Nicolette est au château de son père qui veut la marier à un roi. Nicolette ne le veut pas car elle aime son seigneur qui porte le nom d'Aucassin, son cher ami, qu'elle aime tant. »

Quand Aucassin entend les mots de ce musicien il est tout joyeux. Il appelle le musicien et lui dit:

— Beau doux ami, ne savez-vous rien de plus de cette Nicolette ?

— Oui, sire, répond Nicolette, c'est la plus franche créature, la plus noble et la plus

Aucassin est sur le balcon de son château avec ses barons

douce qui existe au monde. Elle est la fille du roi de Carthage. Il veut lui donner pour mari un roi, mais Nicolette aimerait mieux être brûlée que d'épouser un roi.

5 — Ah ! beau doux ami, dit le comte Aucassin, retournez à ce pays et dites à Nicolette de venir me parler. Si vous faites cela je vous donnerai de mes richesses, autant que vous en voudrez.

10 — Sire, répond Nicolette, si vous voulez tenir votre promesse j'irai la chercher par amour pour vous et pour elle que j'aime bien. Ne vous tourmentez pas car je vais vous envoyer Nicolette.

Chapitre XII

Comment Aucassin retrouve enfin Nicolette et la fait dame de Beaucaire

Nicolette quitte Aucassin et elle va chez la vicomtesse de la ville, car le vicomte est mort.

Nicolette raconte l'histoire à la vicomtesse. Quand la vicomtesse voit que c'est 5 Nicolette, la jeune fille qu'elle a élevée, elle la fait entrer. Pendant huit jours Nicolette se repose. Elle prend une herbe et se frotte la figure. Elle devient aussi belle qu'avant.

Elle s'habille de belle soie et prie la vi- 10 comtesse d'aller chercher Aucassin.

La vicomtesse arrive au château d'Aucassin qui se lamente parce que Nicolette ne vient pas. Elle lui dit:

— Aucassin, ne vous lamentez pas. Venez 15 avec moi et je vous montrerai la chose que vous aimez le plus au monde. C'est Nico-

Et Aucassin a sa Nicolette et Nicolette a son Aucassin

lette, votre douce amie, qui de Carthage est venue vous chercher.

Quand Aucassin entend dire que sa douce amie est venue le chercher, il est tout joyeux. Il va vite au château de la vicomtesse. 5

En voyant Aucassin Nicolette court vers lui et l'embrasse. Longtemps ils se parlent. Le lendemain Aucassin épouse Nicolette et la fait comtesse de Beaucaire.

Ici finit l'histoire, car Aucassin a sa Ni- 10 colette et Nicolette a son Aucassin.

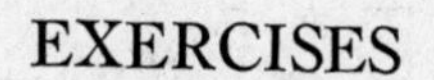

EXERCISES

CHAPITRE I

La mansarde vide

1

A. *Answer the following questions in French:*

1. Comment s'appelle ce livre ? 2. Comment s'appelle l'auteur ? 3. Quels sont les personnages ? 4. Que disent les voisins de Pierre Delsart ? 5. Pourquoi Pierre est-il un petit homme ? 6. Que fait la mère de Pierre ? 7. Pierre et sa mère sont-ils heureux ? 8. Décrivez la maison que Pierre habite. 9. Comment s'appelle la ville ? 10. Pourquoi la ville est-elle importante ?

B. *Indicate by OUI or NON whether the following statements are true or false:*

1. Pierre joue beaucoup avec ses camarades. 2. La mère de Pierre coud beaucoup. 3. Ils ont souvent faim. 4. La maison que Pierre habite est belle. 5. Saint-Nazaire est situé sur la Loire.

C. *From the list of verbs at the head of the exercise select the proper verb to complete the following sentences:*

1. coud 2. ont 3. aide 4. partent 5. gagne

1. Pierre ____ souvent sa mère.
2. La mère de Pierre ____ du matin au soir.
3. La mère de Pierre ne ____ pas beaucoup.

4. Pierre et sa mère ____ souvent froid.
5. De grands bateaux ____ de Saint-Nazaire.

D. *Complete the following sentences:*

1. Les voisins disent de Pierre: « ____ ».
2. Pierre habite ____.
3. La mère de Pierre est ____.
4. Pierre et sa mère ont souvent ____.
5. Pierre ne joue pas beaucoup parce que ____.

E. *Find in column B the antonyms (words of opposite meaning) to the words in column A:*

A	*B*
laide	chaud
froid	petite
heureux	plus
grande	belle
moins	malheureux

2

A. *Answer the following questions in French:*

1. Qu'arrive-t-il un jour à la mère de Pierre? 2. Quel âge a Pierre ? 3. Comment la petite amie de Pierre s'appelle-t-elle ? 4. Que fait Lisette quand elle voit Pierre ? 5. Que dit-elle à Pierre du médecin ? 6. Que propose-t-elle à Pierre de faire ? 7. Que répond Pierre ?

B. *Indicate by OUI or NON whether the following statements are true or false:*

1. A dix ans on est bien enfant. 2. Pierre a un

frère. 3. Lisette n'aime pas Pierre. 4. Le docteur désire voir Pierre. 5. Pierre désire que Lisette reste près de lui.

C. *From the list of words at the head of the exercise select the proper word to complete the sentences that follow:*

1. dix	3. malade	5. meurt
2. seul	4. cou	6. bras

1. La mère de Pierre tombe ____ et elle ____.
2. Pierre a ____ ans.
3. Pierre est ____ au monde.
4. Lisette met ses petits ____ autour du ____ de Pierre.

D. *Complete the following sentences:*

1. Pierre rencontre ____.
2. Lisette demeure ____.
3. On est encore enfant à ____.
4. ____ tombe malade.
5. ____ désire voir Pierre.

3

A. *Answer the following questions in French:*

1. Où les enfants attendent-ils le docteur Dubois ?
2. Que donne Lisette à Pierre ?
3. Pourquoi le pain est-il bon ?
4. Pourquoi Pierre pense-t-il que le docteur désire le voir ?
5. Pourquoi faut-il que Pierre travaille?

B. *Indicate by OUI or NON whether the following statements are true or false:*

1. Pierre n'aime pas le pain.
2. Pierre aime le chocolat.
3. Lisette donne tout le chocolat à Pierre.
4. Lisette attend le docteur avec Pierre.
5. Le docteur a de l'ouvrage pour Pierre.

C. *From the list of words at the top of the exercise select the proper word to complete the sentences that follow:*

1. sa poche 3. le temps 5. le pain
2. la moitié 4. Pierre et Lisette

1. ____ est frais.
2. ____ sont assis sur une malle.
3. Lisette tire un morceau de pain de ____.
4. Ils trouvent ____ long.
5. Lisette donne ____ du chocolat à Pierre.

D. *Complete the following sentences:*

1. Pierre est content parce que ____.
2. Lisette donne ____ à son petit ami.
3. Les enfants attendent ____.
4. ____ est assise à côté de Pierre.
5. Lisette dit, « Le chocolat ____. »

4

A. *Answer the following questions in French:*

1. Qui entre ? 2. Que dit le docteur à Lisette ? 3. Lisette est-elle fâchée ? 4. Que promet Pierre à Lisette ? 5. Où passe Lisette quand elle quitte la

chambre ? 6. Comment la petite fille quitte-t-elle la chambre ?

B. *Indicate by OUI or NON whether the following sentences are true or false:*

1. Le docteur dit à Lisette de rester. 2. Lisette est contente de quitter la chambre. 3. La petite fille porte un tablier. 4. Elle met la moitié de son tablier dans la bouche.

C. *Find in column B the antonyms to the words in column A:*

A	*B*
fâchée	loin de
quitter	rien
garçon	entrez
sortez	arriver
près de	fille
tout	contente

D. *Complete the following sentences:*

1. Le docteur désire ____.
2. Lisette désire ____.
3. « Dépêchez-vous, » dit ____ à ____.
4. Pour quitter la chambre Lisette passe ____.
5. Pierre lui dit : « ____ ».

Chapitre II

Le père de Pierre

1

A. *Answer the following questions in French:*

1. Quelle est la première question du docteur? 2. Quelle est la réponse de Pierre? 3. Quelles sont les autres questions du docteur? 4. Pourquoi Pierre réfléchit-il? 5. Pierre a-t-il peur? 6. Pourquoi la mère de Pierre se moquait-elle de son fils? 7. Que disait toujours la mère de Pierre de son fils?

B. *Indicate by OUI or NON whether the following sentences are true or false:*

1. Pierre a quinze ans. 2. La mère de Pierre lui a appris qu'il faut toujours dire toute la vérité. 3. Pierre a peur des grands garçons. 4. Pierre a le courage d'aller à Paris seul. 5. Tout le monde dit que Pierre est un vrai petit homme.

C. *From the list of words at the top of the exercise select the proper word to complete the following sentences:*

1. avait 2. avez 3. est 4. tirant 5. a

1. Pierre ____ dix ans.
2. Il parle en ____ Pierre vers lui.
3. Pierre ____ un petit homme.
4. ____-vous peur?
5. Votre mère ____ raison.

D. *Select from column B the French equivalents of the English sentences in column A:*

A

1. That is all.
2. You know how to answer.
3. He drew the child towards him.
4. I think so.
5. She used to laugh at me.

B

1. Je pense que oui.
2. Voilà tout.
3. Elle se moquait de moi.
4. Il a tiré l'enfant vers lui.
5. Vous savez répondre.

2

A. *Answer the following questions in French:*

1. Pierre se souvient-il de son papa ? 2. L'histoire du père de Pierre est-elle gaie ? 3. Où demeure le frère du papa de Pierre ? 4. Quelle est sa profession ? 5. Pourquoi a-t-il appelé le papa de Pierre à Paris ? 6. Qu'est-ce que le papa de Pierre a fait à Paris ? 7. Que crie le petit garçon ?

B. *Indicate by OUI or NON whether the following statements are true or false:*

1. Le papa de Pierre avait un frère aîné. 2. Le frère aîné demeurait à Saint-Nazaire. 3. Le frère aîné a donné une bonne éducation au père de Pierre. 4. Le père de Pierre avait de bons compagnons. 5. Le père de Pierre a volé de l'argent à son patron.

C. *Select from the words in parentheses the word or words that complete the sentence:*

1. L'histoire du père de Pierre est ____ (gaie, amusante, belle, triste).

2. Le père de Pierre était ____ (studieux, travailleur, intelligent, stupide).

3. Le frère aîné était ____ (patron, médecin, ouvrier, avocat).

4. Le père de Pierre a perdu ____ (sa position, son frère, de l'argent, des compagnons).

5. Le père de Pierre a volé de l'argent ____ (à son frère aîné, à son patron, au médecin, à ses compagnons).

D. *Find in column B the antonyms to the words in column A:*

A	*B*
gaie	peu
vrai	faux
beaucoup	dure
gros	petit
bonne	mauvaise
douce	triste

E. *Select the adjective from column B which can best be used with each of the nouns in column A in accordance with the story:*

A	*B*
la voix	blanches
les mains	mauvais
une histoire	douce
un homme	bonne
un frère	gaie
une éducation	intelligent
un compagnon	aîné

3

A. *Answer the following questions in French:*

1. Qui a raconté l'histoire du père de Pierre au docteur Dubois ? 2. Qui a rendu l'argent au patron ? 3. Quelle est la condition que l'avocat a imposée à son frère ? 4. Où le père de Pierre est-il allé ? 5. Où le père de Pierre est-il allé quand il est revenu en France ? 6. Comment a-t-il passé le reste de sa vie ? 7. Qu'est-ce qu'il faut que Pierre oublie ? 8. A quoi faut-il que Pierre pense ?

B. *Indicate by OUI or NON whether the following statements are true or false:*

1. Le père de Pierre est resté longtemps en Amérique. 2. Il a épousé une jeune femme en Amérique. 3. Il est revenu en France. 4. Il n'a jamais gagné assez d'argent pour repayer son frère aîné. 5. Il faut que Pierre pense seulement au repentir.

C. *Fill the blanks with suitable prepositions:*

1. Votre père est allé ____ Amérique.
2. Son frère aîné demeurait ____ Paris.
3. Le père de Pierre est revenu ____ France.
4. Le père de Pierre demeurait ____ Saint-Nazaire.
5. Il n'a pas gagné assez ____ argent.

D. *Complete the following sentences in French so as to make them equivalent to the English:*

1. The older brother returned the money.	1. Le frère aîné ____ l'argent.

2. He did not stay a long time in America.	2. Il n'est pas resté ____ en Amérique.
3. He returned to France.	3. Il ____ en France.
4. He married a young girl.	4. Il ____ une jeune fille.
5. He died without returning the money.	5. Il ____ sans rendre l'argent.

4

A. *Answer the following questions in French:*

1. Quel est le désir de la maman de Pierre? 2. Qu'est-ce que le père de Pierre n'a pas réussi à faire? 3. Que répond Pierre? 4. Que désire Pierre? 5. Que pensait la maman de Pierre? 6. Quelle est la décision du petit garçon?

B. *Indicate by OUI or NON whether the following statements are true or false:*

1. La maman de Pierre désire que son fils cherche son oncle. 2. Pierre désire rester à Saint-Nazaire. 3. La maman de Pierre pensait que si son oncle voyait Pierre il l'aimerait. 4. Pierre a assez d'argent pour payer la dette de son père. 5. Pierre ne va pas faire ce que sa mère desirait.

C. *Find in column B a noun derived from each of the verbs in column A:*

A	*B*
rester	le désir
répondre	le travail

désirer	la pensée
penser	la réponse
travailler	le reste

D. *Complete the following sentences:*

1. Le désir de sa maman est que Pierre cherche ____.
2. Pierre pense que son oncle ne désire pas le voir parce que ____.
3. La mère de Pierre pensait qu'un jour Pierre trouverait le moyen de ____.
4. Pierre désire être ouvrier comme ____.
5. La mère de Pierre pensait que si son oncle le voyait il ____.
6. La décision de Pierre est de ____.

5

A. *Answer the following questions in French:*

1. Qui donne l'argent à Pierre pour aller à Paris ? 2. Comment s'appelle l'oncle de Pierre ? 3. Pierre, que met-il dans son paquet ? 4. Que dit Pierre à ses amis ? 5. Quelle est la résolution de Pierre ? 6. La maman de Lisette, que donne-t-elle à Pierre ? 7. Lisette, que donne-t-elle à Pierre ?

B. *Indicate by OUI or NON whether the following statements are true or false:*

1. L'oncle de Pierre s'appelle comme lui. 2. Pierre raconte l'histoire de son père à ses voisins. 3. La maman de Lisette donne une poupée à Pierre. 4. La poupée est grande comme un doigt d'enfant. 5. La poupée est dans le paquet de Pierre.

C. *From the list of words at the top of the exercise select the proper word to complete the following sentences:*

1. la poupée	4. le passé
2. des clients	5. la maman de Lisette
3. son linge	6. un doigt d'enfant

1. Dans le paquet de Pierre il y a ____ et ____.
2. Il va faire si bien qu'on oubliera ____.
3. ____ donne une pièce de dix sous à Pierre.
4. La poupée est grande comme ____.
5. ____ ont donné l'argent pour le voyage de Pierre.

D. *Select from column B definitions or explanations of the words in column A:*

A	*B*
1. une poupée	1. est une partie de la main.
2. un doigt	2. est un jouet
3. un client	3. est un homme qui pratique la médecine.
4. un médecin	4. est un homme qui travaille.
5. un ouvrier	5. est une personne qui consulte un médecin.

6

A. *Answer the following questions in French:*

1. Où va Pierre ? 2. Quel jeu Pierre joue-t-il avec les enfants du docteur ? 3. Que fait le docteur après le dîner ? 4. Que faut-il faire pour arriver à Paris ? 5. Le docteur, que donne-t-il à Pierre ? 6. La femme du docteur où met-elle les pièces blanches ? 7. La

femme du docteur, que dit-elle à Pierre en lui donnant les pièces blanches ?

B. *Indicate by OUI or NON whether the following statements are true or false:*

1. Les enfants du docteur sont bons pour Pierre. 2. Pour aller de Saint-Nazaire à Paris il faut prendre le train et le bateau. 3. La femme du médecin met les pièces blanches dans la poche de Pierre. 4. Pierre pense que tout le monde est bon. 5. Tout le monde sera toujours bon pour lui.

C. *From the list of words at the head of the exercise select the proper word to complete the sentences that follow:*

1. merci	5. le train
2. des pièces blanches	6. tout le monde
3. aux billes	7. le docteur
4. la doublure	8. le bateau

1. Pierre a dit adieu à ____.
2. Pierre va chez ____.
3. Il joue ____ avec les enfants du docteur.
4. Pour aller à Nantes il faut prendre ____.
5. A Nantes il faut prendre ____ pour aller à Paris.
6. Madame Dubois donne ____ à Pierre.
7. Elle coud de l'argent dans ____ de la veste.
8. Pierre dit ____ à Madame Dubois.

D. *Select from column B the French equivalents of the English sentences in column A:*

A	*B*
1. The doctor explains the way.	1. Ils jouent aux billes ensemble.

2. The doctor's wife gave him money.
3. They play marbles together.
4. She put it in the lining of his coat.
5. The little boy thinks everybody is kind.

2. Le docteur explique le chemin.
3. La femme du docteur lui a donné de l'argent.
4. Le petit garçon croit que tout le monde est bon.
5. Elle l'a mis dans la doublure de sa veste.

Chapitre III

En Voyage

1

A. *Answer the following questions in French:*

1. Qui va avec Pierre au bateau ? 2. Pourquoi Pierre court-il après le docteur ? 3. Le docteur, que demande-t-il à Pierre de faire quand il sera chez son oncle ? 4. Pourquoi Pierre n'a-t-il pas peur ? 5. Pierre, que voit-il sur le bateau ? 6. Où Pierre est-il assis ?

B. *Indicate by OUI or NON whether the following statements are true or false:*

1. Le docteur va avec Pierre à Paris. 2. Pierre a un bon déjeuner avec lui. 3. Sur le bateau il y a beaucoup d'enfants. 4. Le petit voyageur a peur. 5. Tout le monde regarde le petit voyageur.

C. *Select from the words in parentheses the word or words that complete the sentence:*

1. Le docteur va avec Pierre ____ (au train, à la gare, à la voiture, au bateau).

2. Pierre a dans son paquet (du poisson, de la viande, des légumes, des fruits).

3. Les paysans ont ____ (des légumes, de la viande, du pain, des œufs).

4. Pour aller à Paris il faut ____ (un panier, un paquet, du courage, de l'argent).

5. Pierre est ____ (fâché, malheureux, joyeux, fier).

D. *Complete the following sentences so as to make them the equivalent of the English sentences:*

1. Peter is not badly brought up.	1. Pierre n'est pas ____.
2. His eyes finished the sentence the best possible way.	2. Ses yeux ont fini la phrase ____.
3. Peter is not afraid.	3. Pierre ____.
4. They have baskets of fish.	4. Ils ont ____ de poisson.
5. They are taking fruit to Nantes.	5. Ils portent ____ à Nantes.

2

A. *Answer the following questions in French:*

1. Quelle heure est-il ? 2. Que fait le petit voyageur ? 3. Pourquoi compte-t-il son argent ? 4. Qui regarde le petit garçon ? 5. Que font les trois hommes ? 6. Les hommes, que demandent-ils au petit garçon ?

B. *Indicate by OUI or NON whether the following statements are true or false:*

1. Quatres hommes jouent aux cartes. 2. Les hommes parlent au petit garçon. 3. Pierre répond: « Je vais chez mon frère à Paris ». 4. Pierre et les hommes désirent prendre des billets de troisième classe. 5. Pierre croit qu'il a trouvé de bons amis.

C. *Complete the following sentences, making them equivalent to the English:*

1. The little traveller is hungry.	1. Le petit voyageur ____.
2. He eats the bread and meat.	2. Il mange ____.
3. Three men are playing cards.	3. Trois hommes ____.
4. I am going farther.	4. Je vais ____.
5. We can go there together.	5. Nous pouvons y aller ____.
6. Everybody is good to me.	6. Tout le monde est ____.

D. *Find in column B the antonyms to the words in column A:*

A	*B*
loin	grand
petit	près
compliqué	seul
bon	simple
ensemble	mauvais

3

A. *Answer the following questions in French:*

1. Comparez Nantes à Saint-Nazaire. 2. Que font les voyageurs quand ils arrivent à Nantes ? 3. Que dit un des hommes à Pierre ? 4. Qu'est-ce que Pierre ne comprend pas ? 5. Que crie l'homme de loin ? 6. Que fait Pierre ? 7. Les hommes, que proposent-ils à Pierre ?

B. *Indicate by OUI or NON whether the following statements are true or false:*

1. Il y a beaucoup de bruit à Nantes. 2. Pierre est heureux d'avoir trouvé de si bons protecteurs. 3. Tous les quatre vont à la gare ensemble. 4. Un des protecteurs achète des billets. 5. Pierre pleure parce qu'il ne veut pas aller à Paris.

C. *Complete the following sentences:*

1. Pierre a de la chance d'avoir trouvé ____.
2. L'homme n'achète pas de billets parce que ____.
3. Pierre ne part pas pour Paris parce que ____.
4. Ils vont acheter quelque chose à manger parce que____.
5. Pierre va passer la nuit avec ____.

D. *Match the phrases of column A and B so as to form sentences:*

A	*B*
1. On voyage sur l'eau	1. en train
2. On voyage sur terre	2. on y monte

3. On voyage en l'air	3. en avion
4. Pour voyager il faut	4. on mange
5. Un compagnon est	5. on en descend
6. Quand on entre dans un train	6. en bateau
7. Quand on sort d'un train	7. on boit
8. Quand on a faim	8. un billet
9. Quand on a soif	9. on dort
10. Quand on a sommeil	10. un camarade

4

A. *Answer the following questions in French:*

1. Qu'est-ce que les trois compagnons achètent ? 2. Où vont-ils s'installer pour manger ? 3. Pourquoi les hommes désirent-ils dormir dans une grange ? 4. Que fait Pierre pour montrer qu'il est un homme ? 5. Les deux hommes où portent-ils Pierre ? 6. Quand Pierre se réveille que découvre-t-il ? 7. Qu'est-ce que les trois hommes ont fait ? 8. Alors Pierre que comprend-il ?

B. *Indicate by OUI or NON whether the following statements are true or false:*

1. Un des hommes désire aller à l'hôtel. 2. Pierre demande de l'eau. 3. Pierre dort sur le foin. 4. Les hommes restent avec Pierre. 5. Les hommes volent l'argent au petit garçon.

C. *Select from the words in parentheses the word or words that complete the sentence:*

1. Pierre mange ____ (du gâteau, du vin, du jambon, du lait).

2. Pierre boit ____ (de l'eau, du vin, du lait, du café).

3. Les canards sont ____ (des légumes, des poissons, des animaux, des oiseaux).

4. Pierre dort dans ____ (un bateau, un hôtel, une grange, un champ).

5. Ses compagnons sont ____ (des voleurs, des paysans, des avocats, des docteurs).

D. *What verb do you associate with each of the following nouns?*

acheteur	travailleur
voyageur	penseur
voleur	vendeur

E. *Make the French sentence equivalent to the English sentence:*

1. Peter is hungry.	1. Pierre ____.
2. Peter is thirsty.	2. Pierre ____.
3. He asks for water.	3. Il demande ____.
4. He drinks too much wine.	4. Il boit ____ vin.
5. When he wakes up the sun is shining.	5. Quand il se réveille ____.
6. He thinks of his money.	6. Il ____ son argent.
7. He puts his hand in his pocket.	7. Il met ____ dans la poche.
8. His pocket is empty.	8. Sa poche ____.

Chapitre IV

Tout seul

1

A. *Answer the following questions in French:*

1. Pierre, que trouve-t-il dans son paquet ? 2. A qui pense-t-il quand il trouve la poupée ? 3. Où met-il la poupée ? 4. Quelle décision fait-il ? 5. A quoi pense-t-il ? 6. Que trouve-t-il dans la doublure de sa veste ? 7. Qui a donné ces pièces à Pierre ? 8. Quelle promesse fait-il à sa pauvre maman ?

B. *Indicate by OUI or NON whether the following statements are true or false:*

1. Il faut que Pierre arrive à Paris sans argent. 2. Il trouve de l'argent dans son paquet. 3. Il a encore assez d'argent pour aller à Paris. 4. Les pièces blanches ne sont plus dans sa veste. 5. Pierre a une grande tendresse dans son cœur pour sa pauvre maman.

C. *Complete the following sentences:*

1. —— tombe du paquet de Pierre.

2. Il semble à Pierre que sa petite amie, Lisette, lui dit: « —— ».

3. Pierre met la poupée à la place de ——.

4. Les pièces blanches sont encore ——.

5. Pierre a une —— pour tout ce que sa mère a souffert.

D. *Complete the following sentences by translating the words in parentheses:*

1. (suddenly) ____ il pense aux pièces blanches.
2. (to the ground) La poupée tombe ____.
3. (of) Il pense ____ sa pauvre maman.
4. (to be courageous) Je promets d'____.
5. (to Paris) Il faut marcher ____.

2

A. *Answer the following questions in French:*

1. Pierre, que mange-t-il pour le déjeuner ? 2. En mangeant que fait-il ? 3. Où met-il le reste de son pain ? 4. Que dit-il aux garçons ? 5. Pierre sait-il bien jouer aux billes ? 6. Qu'est-ce que tous les enfants aiment à faire ? 7. Qu'est-ce que Pierre oublie ?

B. *Indicate by OUI or NON whether the following questions are true or false:*

1. On peut vivre avec du pain. 2. Pierre a beaucoup de choses à manger. 3. Il joue mieux aux billes que les autres garçons. 4. Personne ne veut être de son côté. 5. Il oublie son oncle.

C. *From the list of words at the head of the exercise select the proper word to complete the following sentences:*

1. chemin	4. pain	7. côté
2. gâté	5. billes	8. enfant
3. animée	6. voyage	

1. Pierre continue son ____.
2. Il achète du ____.
3. Il n'a pas été ____.
4. Les enfants jouent aux ____.

5. La partie est très ____.
6. Pierre oublie son ____.
7. Tout le monde veut être de son ____.
8. Pierre est encore ____.

D. *Rearrange the following groups of words so as to form complete sentences:*

1. un, du, achète, dans, il, pain, village, petit.
2. regarde, village, aux, il, les, qui, jouent, enfants, du, billes.
3. le, être, du, de, veut, tout, monde, côté, Pierre.
4. oublie, oncle, résolutions, Pierre, son, ses, et.
5. enfants, jouer, les, tous, aiment, à.

3

A. *Answer the following questions in French:*

1. Que fait-on à l'heure du déjeuner ? 2. Qu'est-ce qu'un des grands garçons demande à Pierre ? 3. Pourquoi Pierre ne mange-t-il pas aussi ? 4. Pourquoi Pierre ne sait-il pas où il va coucher ? 5. Pourquoi Pierre va-t-il à Paris à pied ? 6. Que dit le grand garçon en quittant Pierre ? 7. Pourquoi le grand garçon revient-il parler à Pierre ? 8. Où Pierre va-t-il déjeuner ?

B. *Indicate by OUI or NON whether the following statements are true or false:*

1. Pierre est seul au monde. 2. Il pense coucher à l'hôtel. 3. Pierre va à pied à Paris. 4. Le grand garçon invite Pierre à déjeuner chez lui. 5. Pierre ne trouve pas la soupe aux choux bonne.

C. *Complete the following sentences with the proper expressions of time:*

Example: 1. Je me lève à sept heures.

2. Je mange mon petit déjeuner à ____.
3. Je dîne à ____.
4. Je me couche à ____.
5. Je vais à l'école à ____.
6. Je rentre à la maison à ____.

D. *Make the French sentence equivalent to the English sentence:*

1. The lunch hour arrives.	1. ____ arrive.
2. That reminds Peter that he is alone.	2. Cela rappelle à Pierre ____.
3. I am going to eat later.	3. Je vais manger ____.
4. I wanted to go by railroad.	4. Je voulais y aller en ____.
5. I am going on foot.	5. J'y vais ____.
6. We had a good game of marbles.	6. Nous avons fait une bonne ____.
7. The cabbage soup is very good.	7. ____ est très bonne.
8. His new friend is good to him.	8. Son nouvel ami est ____.

4

A. *Answer the following questions in French:*

1. Est-ce que Paris est loin de Nantes ? 2. Pierre aime-t-il à voyager à pied ? 3. Pourquoi Pierre a-t-il toujours faim ? 4. Comment sont les vêtements de

Pierre? 5. Quelle chose lui reste toujours dans la mémoire? 6. Qu'arrive-t-il un jour? 7. Quelle est la seule idée de Pierre à ce moment? 8. Que fait-il?

B. *Indicate by OUI or NON whether the following statements are true or false:*

1. Pierre ne marche jamais par le soleil. 2. Pierre est toujours fatigué. 3. Pierre oublie qu'il va à Paris. 4. Pierre est près d'une ferme. 5. Pierre tombe comme mort.

C. *Find in column B the antonyms to the words in column A:*

A	*B*
toujours	jour
longue	économiser
dépenser	jamais
beaucoup	froid
chaud	peu
nuit	courte

D. *Select from the words in parentheses the word or words that complete the sentence:*

1. La distance de Nantes à Paris est —— (courte, longue, large, haute).

2. Le temps est beau quand il y a —— (du vent, de la pluie, du soleil, de la neige).

3. Quand il y a de la pluie le temps est —— (beau, froid, agréable, mauvais).

4. Pour acheter du pain il faut —— (avoir soif, être fatigué, avoir de l'argent, être riche).

5. On trouve des meules de foin dans (un champ, une maison, une grange, une ville).

5

A. *Answer the following questions in French:*

1. Qui trouve Pierre ? 2. Le fermier, que pense-t-il quand Pierre ne remue pas ? 3. Que fait le fermier ? 4. A qui pense le fermier ? 5. Qui arrive ? 6. Comment le fermier sait-il que Pierre n'est pas mort ? 7. Où Pierre est-il quand il revient à lui ? 8. Quelle est la première chose que Pierre dit ? 9. Qu'est-ce que la fermière donne à Pierre ? 10. Que fait Pierre ensuite ?

B. *Indicate by OUI or NON whether the following statements are true or false:*

1. La fermière trouve Pierre dans un champ. 2. Pierre ouvre les yeux. 3. Pierre n'est pas mort parce que son cœur bat. 4. On met Pierre dans la grange. 5. On lui donne à manger.

C. *Complete the following sentences by translating the words in parentheses:*

1. (in a field) Un fermier trouve Pierre ——.
2. (get out of there) « ——, » dit le fermier à Pierre.
3. (in his arms) Le fermier prend l'enfant ——.
4. (he is dead) « Mais, ——, » dit la fermière.
5. (unconscious) « Non, il est ——, » répond le fermier.

D. Que fait-on quand:

1. on a faim ?
2. on a soif ?
3. on est fatigué ?
4. on a sommeil ?
5. on laisse tomber quelque chose ?
6. on perd quelque chose ?

6

A. *Answer the following questions in French:*

1. Que dit Pierre à la fermière quand elle entre ? 2. Que lui répond la fermière ? 3. Que lui donne la fermière ? 4. Pourquoi croit-on l'histoire de Pierre ? 5. La fermière, que propose-t-elle à Pierre ? 6. Pierre que pourra-t-il faire avec l'argent qu'il gagnera ? 7. S'il ne désire pas aller à Paris que pourra-t-il faire ? 8. Quelle grande tentation vient à Pierre ? 9. A quoi pense-t-il ? 10. Qui va avec Pierre à la gare ?

B. *Indicate by OUI or NON whether the following statements are true or false:*

1. La fermière est la mère de Pierre. 2. La vérité a un accent qui s'impose. 3. Le fermier n'aime pas Pierre. 4. C'est par charité seulement que l'on désire garder Pierre. 5. Pierre est très heureux à la ferme.

C. *Find in column B the antonyms to the words in column A:*

A	*B*
faible	la femme
mieux	commencer
finir	fort
le mari	affaiblir

le soir	pis
fortifier	mécontent
content	le matin

D. *Complete the following sentences:*

1. Pierre a presque pensé que la fermière était ____.
2. On croit l'histoire de Pierre par qu'il y a dans la vérité ____.
3. La fermière conseille à Pierre de ____.
4. Si Pierre ne désire pas aller à Paris il pourra ____.
5. Mais il va à Paris car il désire accomplir le ____ de sa chère maman.

Chapitre V

Le Petit Prince Charmant

1

A. *Answer the following questions in French:*

1. Qu'est-ce qui remplit le salon de Monsieur et Madame Delsart ? 2. Quel temps fait-il dehors ? 3. Que fait-on chez Monsieur Delsart ? 4. Décrivez Maurice. 5. Décrivez le costume de Maurice. 6. Qu'est-ce que Maurice aime le mieux ?

B. *Indicate by OUI or NON whether the following statements are true or false:*

1. Il y a beaucoup de fleurs chez Monsieur Delsart. 2. Maurice est grand et fort. 3. Il porte un beau costume. 4. Maurice a dix-sept ans. 5. Maurice aime son épée.

C. *Find in column B the antonyms to the words in column A:*

A	B
gaie	chaud
bruyante	fort
froid	tranquille
frêle	dedans
clair	triste
dehors	foncé

D. *Select from the list of words at the head of the exercise the proper word or words to complete the sentences that follow:*

1. frêle
2. bruyante
3. froid
4. dixième
5. gris
6. bleus
7. Prince Charmant
8. blanc

1. La musique est ——.
2. Dehors le temps est ——.
3. Le ciel est ——.
4. Maurice est un petit garçon ——.
5. Il a les yeux ——.
6. Maurice porte un costume de ——.
7. Il porte un petit manteau ——.
8. C'est le —— anniversaire de Maurice.

E. *Make the French sentence equivalent to the English:*

1. It is cold.	1. Il —— froid.
2. He is wearing a white cloak.	2. Il —— un manteau blanc.
3. The sound of dance music fills the parlor.	3. Le son d'une musique de danse —— le salon.

4. One does not think of the cold.	4. On ne ____ pas au froid.
5. They are celebrating the birthday of Maurice.	5. On ____ l'anniversaire de naissance de Maurice.

2

A. *Answer the following questions in French:*

1. Pourquoi les enfants ne semblent-ils pas bien s'amuser ? 2. Pourquoi Monsieur Delsart pense-t-il que les enfants ne s'amusent pas ? 3. Que dit Monsieur Delsart aux mamans ? 4. Que dit Monsieur Delsart à Maurice ? 5. Que font les enfants ?

B. *Indicate by OUI or NON whether the following statements are true or false:*

1. Les petites filles dansent avec les petits garçons. 2. Les mamans vont prendre une tasse de thé. 3. Les enfants désirent des jeux bruyants. 4. Une petite fille bande les yeux de Maurice. 5. Les enfants jouent au colin-maillard.

C. *Rearrange the following groups of words so as to form complete sentences:*

1. s'amusent, bien, enfants, ne, les, pas.
2. sont, les, ils, personnes, gênés, grandes, par.
3. aiment, jeux, ils, les, bruyants.
4. tasse, une, prendre, allez, thé, de.
5. bande, monsieur, yeux, les, Delsart, Maurice, de.

D. *Select from the group of words at the head of the exercise the proper word or words to complete the following sentences:*

1. sont gênés	4. jouent
2. une tasse	5. souriant
3. s'amusent	6. danser

1. Les enfants ne —— pas.
2. Ils n'aiment pas à ——.
3. Monsieur Delsart parle aux enfants en ——.
4. Les enfants —— par les grandes personnes.
5. Les enfants —— au colin-maillard.
6. Les dames prennent —— de thé.

3

A. *Answer the following questions in French:*

1. Où Monsieur Delsart désire-t-il aller ? 2. Qu'est-ce que Monsieur Delsart entend en traversant le corridor ? 3. Que répond un domestique ? 4. Que crie Pierre ? 5. Que désire Pierre ?

B. *Indicate by OUI or NON whether the following statements are true or false:*

1. Monsieur Delsart reste avec les enfants. 2. Monsieur Delsart va à son bureau. 3. Dans le corridor Monsieur Delsart entend du bruit. 4. Le domestique lui dit que c'est un monsieur qui désire lui parler. 5. Pierre désire voir son oncle seul.

C. *Select from the words in parentheses the word or words that suitably fill the blank:*

1. Pierre est arrivé à Paris ___ (à pied, par le train, en bateau, à cheval).

2. Pierre a l'air ___ (d'un enfant riche, d'un monsieur, d'un paysan, d'un vagabond).

3. Pierre a voyagé ___ (un jour, longtemps, peu de temps, un mois).

4. Monsieur Delsart est ___ (le père, le frère, l'oncle, l'ami) de Pierre.

5. Monsieur Delsart aime à ___ (lire, jouer, écrire, fumer).

D. *Make the French sentence equivalent to the English:*

1. Mr. Delsart goes to his office.	1. Monsieur Delsart va à ___.
2. On crossing the hall he hears a voice.	2. En ___ le corridor il entend une voix.
3. I must speak to Mr. Delsart.	3. ___ que je parle à Monsieur Delsart.
4. Listen to me, please.	4. ___, s'il vous plaît.
5. Calm yourself, my little man.	5. ___, mon petit homme.
6. What do you wish?	6. Que ___?

4

A. *Answer the following questions in French:*

1. Où Monsieur Delsart fait-il entrer Pierre? 2. Quelle est la première chose que Pierre dit à Monsieur Delsart? 3. Que dit Pierre pour prouver qu'il est vraiment le neveu de Monsieur Delsart. 4. Combien d'années y a-t-il que Monsieur Delsart n'a vu son

frère ? 5. Pierre que croit-il qu'il pourra faire ? 6. De quoi sa mère l'a-t-elle chargé ?

B. *Write a short paragraph on each of the following topics:*

1. Ce qui est arrivé à Nantes.
2. Le voyage de Nantes à la ferme.
3. Pierre à la ferme Pichon.

C. *Complete the following sentences:*

1. Le petit Pierre Delsart est le fils de ——.
2. Sa mère a chargé Pierre de ——.
3. Pierre est allé à Paris pour ——.
4. A Nantes on a volé ——.
5. A la ferme Pichon Pierre a gagné ——.
6. Pierre a fait le voyage de la ferme à Paris en ——.

D. *Select from column B definitions or explanations of the words in column A:*

A	*B*
1. le chemin de fer	1. est la capitale de la France.
2. le bateau	2. sert à acheter des choses.
3. Paris	3. transporte les gens d'un lieu à l'autre sur l'eau.
4. Saint-Nazaire	4. est quelque chose que l'on est obligé de faire.
5. l'argent	5. transporte les voyageurs d'un lieu à l'autre sur terre.
6. une dette	6. est une grande ville sur la Loire.
7. une tâche	7. est quelque chose que l'on doit.

5

A. *Answer the following questions in French:*

1. Que répond l'oncle après avoir écouté l'histoire de Pierre ? 2. Comment savez-vous que Monsieur Delsart avait pardonné la faute à son frère ? 3. Pourquoi la colère est-elle une vilaine chose ? 4. Pourquoi Monsieur Delsart a-t-il deux fils maintenant ? 5. Où est Pierre quand Madame Delsart entre ? 6. Que dit Madame Delsart à son mari quand il lui présente son neveu ? 7. Où Monsieur Delsart pense-t-il trouver des vêtements pour Pierre ? 8. Qui est Miss Nancy ? 9. Que donne Miss Nancy à Pierre ? 10. Que fait Pierre ?

B. *Indicate by OUI or NON whether the following statements are true or false:*

1. Monsieur Delsart désire beaucoup de preuves que Pierre est son neveu. 2. Pierre porte le même nom que Monsieur Delsart. 3. Monsieur Delsart a cherché son frère pendant longtemps. 4. Il a vu son frère une fois après son retour d'Amérique. 5. La colère est une vilaine chose.

C. *Select from column B the French equivalents of the English sentences in column A:*

B	*A*
1. Je vous crois sans preuves.	1. Your sufferings are going to cease.
2. Il l'a pris au sérieux.	2. She brought up Maurice.

3. Vos souffrances vont prendre fin.	3. She finds a pretty sailor suit.
4. Avant votre arrivée j'avais seulement un fils.	4. He has taken it seriously.
5. Elle a élevé Maurice.	5. I believe you without proofs.
6. Elle trouve un joli costume marin.	6. Before your arrival I had only one son.

D. *Select from the list of words at the head of the exercise the proper word or words to complete the following sentences:*

1. contente	4. fils
2. colère	5. son oncle
3. anglaise	6. héros

1. La ____ est une vilaine chose.
2. Monsieur Delsart appelle Pierre: « mon petit ____ ».
3. Pierre porte le même nom que ____.
4. Pierre ne comprend pas Miss Nancy parce qu'elle est ____.
5. Madame Delsart n'est pas ____ de voir Pierre.
6. Monsieur Delsart a deux ____ maintenant.

6

A. *Answer the following questions in French:*

1. Où vont Pierre et Monsieur Delsart ? 2. Que dit Monsieur Delsart aux enfants ? 3. Que dit Monsieur Delsart à Maurice ? 4. Que fait Maurice ? 5. Quel jeu Monsieur Delsart propose-t-il ? 6. Qui est

le loup ? 7. Qui est l'agneau ? 8. Pourquoi Monsieur Delsart observe-t-il Pierre ? 9. Pourquoi est-il évident que Pierre ne sera jamais brusque ? 10. A quoi pense Pierre quand il ramasse la petite fille ? 11. Qu'est-ce que Pierre entend quand il passe près de Madame Delsart ? 12. Qu'est-ce que Pierre comprend ?

B. *Indicate by OUI or NON whether the following statements are true or false:*

1. Maurice est content de voir Pierre. 2. Pierre est très brusque. 3. Pierre fait tomber une petite fille. 4. Pierre est l'ami de tout le monde. 5. Pierre est orphelin.

C. *Select from column B definitions or explanations of the words in column A:*

A	*B*
1. un cousin	1. est une partie du corps.
2. colin-maillard	2. est un enfant sans parents.
3. une poupée	3. est un jeu.
4. un orphelin	4. est un jouet.
5. la tête	5. est l'enfant d'un oncle.

D. *Make the French sentences equivalent to the English sentences:*

1. Here is a new playmate.	1. ____ un nouveau camarade.
2. He does not like to play alone.	2. Il n'aime pas à jouer ____.
3. Peter is the wolf.	3. Pierre est ____.
4. Maurice is the lamb.	4. Maurice est ____.

5. A little girl falls.	5. Une petite fille ——.
6. Peter is not rough.	6. Pierre n'est pas ——.
7. He picks up the child.	7. Il —— l'enfant.
8. He thinks of Lisette.	8. Il —— Lisette.

E. *Donnez les noms français de quatre jeux qu'on a mentionnés dans ce livre.*

Chapitre VI

Une vie toute nouvelle

1

A. *Answer the following questions in French:*

1. Que fait Pierre deux semaines après son arrivée chez son oncle ? 2. Pourquoi Monsieur Delsart a-t-il écrit au médecin de Saint-Nazaire ? 3. Pourquoi Pierre n'a-t-il jamais été beaucoup à l'école ? 4. Avec qui prend-il des leçons maintenant ? 5. Le professeur est-il content de Pierre ? 6. Pourquoi Pierre pense-t-il que le médecin rira de sa lettre ? 7. Qu'est devenu le petit vagabond ? 8. Qu'est-ce que la maman de Maurice a dit un jour à Pierre ? 9. Qu'est-ce que Pierre promet au médecin de faire un jour ? 10. Que demande-t-il au médecin de dire à Lisette ?

B. *Indicate by OUI or NON whether the following statements are true or false:*

1. Pierre n'a jamais été à l'école. 2. Pierre aidait souvent sa maman. 3. Pierre n'a jamais écrit de lettre. 4. Il écrit pour montrer au docteur qu'il n'est pas ingrat. 5. Tout le monde est très bon pour Pierre.

C. *Select from the words in parentheses the word or words that complete the sentence:*

1. Pierre envoie au docteur Dubois ____ (une carte, un paquet, un billet, une lettre).

2. Pierre remercie le docteur Dubois de ____ (son argent, sa bonté, sa lettre, la poupée).

3. Pierre est ____ (ingrat, reconnaissant, injuste, indifférent).

4. Chez son oncle Pierre a ___ (faim, soif, froid, assez à manger).

5. Pierre est maintenant un petit ____ (monsieur, fermier, vagabond, paysan).

D. *Make the French sentences equivalent to the English sentences:*

1. Everyone is good to me.	1. Tout le monde ____.
2. I tell him fairy stories.	2. Je lui ____.
3. She does not send me away.	3. Elle ne me ____ pas.
4. These coins saved me.	4. Ces pièces m'____.
5. We play together.	5. Nous jouons ____.
6. We made her a bed in a nutshell.	6. Nous lui avons fait un lit ____.

2

A. *Answer the following questions in French:*

1. De quoi Pierre est-il reconnaissant ? 2. Quels sont les jours heureux ? 3. Qu'est-ce que toutes les grandes personnes ne savent pas faire ? 4. Qu'est-ce que le professeur a dit à Monsieur Delsart ? 5. Que

dit Monsieur Delsart à son fils ? 6. Quelle promesse Maurice fait-il à son père ? 7. Que dit Maurice ensuite à son père ?

B. *Indicate by OUI or NON whether the following statements are true or false:*

1. Pierre n'est pas reconnaissant à son oncle. 2. Il pense souvent à la campagne. 3. L'avocat gronde quelquefois. 4. Il est très content de son fils. 5. Maurice aime que son père lui raconte les batailles de Napoléon.

C. *Give French verbs related in derivation and meaning to the following words:*

1. une demeure	4. le jeu
2. une étude	5. l'ami
3. le travail	6. le conte

D. *Select from column B the English equivalents of each French sentence in A:*

A	*B*
1. Il lui semble être prisonnier.	1. My son will do me credit.
2. Il pense qu'il est un prince dans une tour enchantée.	2. The lawyer knows how to speak to children.
3. L'avocat sait parler aux enfants.	3. He scolds sometimes.
4. Mon fils me fera honneur.	4. What you are now you will be later.
5. Il gronde quelquefois.	5. He feels like a prisoner.

6. Ce que vous êtes maintenant vous le serez plus tard.

6. He feels like a prince in an enchanted tower.

E. *Write 2 or 3 sentences on the following topics:*

1. Les jours heureux.
2. Monsieur Delsart gronde Maurice.
3. Ce que Maurice aime à faire.

3

A. *Answer the following questions in French:*

1. Que font les enfants après le dîner ? 2. Madame Delsart joue-t-elle souvent avec Pierre ? 3. Quelle résolution Pierre fait-il ? 4. Que dit Madame Delsart à son fils avec impatience ? 5. Que demande Pierre à Madame Delsart ? 6. Que fait Maurice ? 7. Maurice, où veut-il aller si Pierre va à la ferme Pichon ? 8. Que promet Madame Delsart à son fils ? 9. Que dit Madame Delsart à Pierre ? 10. Que répond Pierre à sa tante ? 11. Touchée par la réponse de Pierre, que lui dit Madame Delsart ?

B. *Indicate by OUI or NON whether the following statements are true or false:*

1. Les enfants vont coucher tout de suite après le dîner. 2. Madame Delsart ne permet pas à Pierre d'être habillé comme son fils. 3. Pierre a l'intention de payer à Madame Delsart tout ce qu'elle fait pour lui. 4. Madame Delsart promet à son fils que Pierre restera. 5. Il est possible que Madame Delsart accepte Pierre comme le frère de Maurice un jour.

C. *Give 2 or 3 sentences on the following topics:*

1. La journée chez Maurice Delsart.
2. La résolution de Pierre.
3. Madame Delsart n'aime pas Pierre.

D. *Select from the words in parentheses the word or expression which completes the sentence:*

1. Pierre et Maurice étudient ___ (l'anglais, le français, l'espagnol, l'italien).
2. Les deux enfants vont se promener avec ___ (Monsieur Delsart, Madame Delsart, Miss Nancy, le professeur).
3. Pierre fait la résolution ___ (de retourner à la ferme Pichon, de payer Madame Delsart, d'aller à Saint-Nazaire, de ne plus étudier).
4. Madame Delsart dit à Pierre ___ (de s'en aller, de rester, de retourner à Saint-Nazaire, d'aller dans sa chambre).
5. Les jours où Monsieur Delsart ne vient pas voir les enfants sont ___ (agréables, intéressants, tristes, monotones).

E. *Make the French sentences equivalent to the English sentences:*

1. Pierre is dressed like Maurice.	1. Pierre ___ comme Maurice.
2. Pierre is sometimes sad.	2. Pierre est ___ triste.
3. Try to earn my affection.	3. Tâchez de ___.
4. My son needs a comrade.	4. Mon fils ___ un camarade.

5. Now go to bed.	5. Maintenant ——.
6. Good night, children.	6. ——, mes enfants.

CHAPITRE VII

Maurice tombe malade

1

A. *Answer the following questions in French:*

1. Qu'arrive-t-il à Maurice ? 2. Que fait Madame Delsart ? 3. Que préfère-t-elle faire ? 4. Pourquoi Madame Delsart permet-elle à Pierre de rester près de Maurice ? 5. Qu'est-ce qui intéresse Maurice le plus ? 6. Que crie Maurice ? 7. Que dit Maurice à son père un jour ? 8. Que répond Madame Delsart ?

B. *Write a short paragraph on each of the following topics:*

1. Décrivez Maurice quand il tombe malade.
2. Décrivez une ferme.

C. *Select from column A the English equivalent to each of the French sentences in Column B:*

A	*B*
1. He describes the long unpainted table.	1. Il a mis sa chemise à l'envers.
2. The little invalid does not permit his cousin to leave him.	2. En hiver l'enfant tombe malade.
3. I want some good cabbage soup.	3. Mettez-la à l'endroit.

4. In winter the child becomes ill.
5. He put his shirt on wrong side out.
6. Put it on right side out.

4. Le petit malade ne permet pas à son cousin de le quitter.
5. Il décrit la longue table en bois blanc.
6. Je veux de la bonne soupe aux choux.

D. *Select from the words at the head of the exercise the proper word or words to complete the following sentences:*

1. bonheurs	4. malade
2. soigner	5. une longue table
3. histoires	6. des jambons

1. Maurice tombe ____.
2. Madame Delsart ne sait pas ____ Maurice.
3. Pierre raconte beaucoup de ____.
4. Dans la cuisine il y a ____.
5. Au plafond il y a ____.
6. On ne peut pas avoir tous les ____.

2

A. *Answer the following questions in French.*

1. Que propose Monsieur Delsart ? 2. Quand les enfants vont-ils visiter la ferme ? 3. Quelles conditions Monsieur Delsart impose-t-il ? 4. Que crie l'enfant ? 5. Un jour que dit Monsieur Delsart à Pierre ?

B. *Indicate by OUI or NON whether the following statements are true or false:*

1. Monsieur Delsart désire envoyer les enfants à la ferme Pichon. 2. Maurice ne veut pas y aller. 3. Maurice demande un œuf à la coque. 4. Madame Delsart est contente parce que Maurice va aller à la ferme. 5. Monsieur Delsart est content de son neveu.

C. *Select from Column A the English equivalent to each of the sentences in column B:*

A	*B*
1. I am going to the farm for the Easter holidays.	1. Je veux un œuf à la coque.
2. He tries to eat.	2. Il entend ces paroles.
3. It is going to be warm this evening.	3. Il va beaucoup mieux.
4. I want a soft boiled egg.	4. Il tâche de manger.
5. He does his lessons much better.	5. Il va faire chaud ce soir.
6. He is much better.	6. Il fait ses devoirs beaucoup mieux.
7. You are useful to me.	7. Je vais à la ferme pour les vacances de Pâques.
8. He hears these words.	8. Vous m'êtes utile.

D. *Select from column B words related in meaning and derivation to the nouns in column A:*

A	*B*
la tâche	le fermier
le travail	la maladie

la cuisine
la reconnaissance
le malade
la ferme
le pays
le cri
la parole
le soin

le paysan
tâcher
soigner
travaiaer
la cuisinière
parler
crier
reconnaissant

Chapitre VIII

A la ferme Pichon

1

A. *Answer the following questions in French:*

1. Qui descendent à la gare d'Amboise? 2. Les enfants où vont-ils passer leurs vacances? 3. Que fait Pierre en arrivant à la ferme? 4. Monsieur Delsart est-il content de la ferme? 5. Comment entre-t-on à la ferme? 6. Décrivez la maison. 7. Que font les poules? 8. Que fait le chien? 9. Monsieur Delsart est-il poli? 10. Que dit la fermière en regardant Pierre? 11. Que dit la fermière à Monsieur Delsart? 12. Que fait Pierre?

B. *Indicate by OUI or NON whether the following statements are true or false:*

1. Pierre est triste de revoir la ferme Pichon. 2. Pierre ne veut pas rester. 3. Monsieur Delsart trouve tout bien propre. 4. Les poules sont dans la maison. 5. La fermière n'est pas embarrassée.

C. *Select from column B the antonyms to the words in column A:*

A	*B*
propre	impoli
basse	mécontent
large	sale
poli	étroite
drôle	haute
silencieux	sérieux
content	bruyant

D. *Complete the following sentences:*

1. Les enfants vont passer leur vacances à ____.
2. ____ conduit les enfants à la ferme.
3. On entre à la ferme par ____.
4. La maison est ombragée par ____.
5. ____ se promènent dans la cour.
6. ____ vient regarder Monsieur Delsart.
7. Monsieur Delsart est aussi poli avec Madame Pichon qu'avec ____.
8. Quand Madame Pichon a vu Pierre pour la première fois il était blanc comme ____.

2

A. *Answer the following questions in French:*

1. Maurice a-t-il jamais visité une ferme ? 2. Où sont les jambons ? 3. Qu'est-ce qu'il y a dans la cheminée ? 4. Comment sert-on le lait ? 5. Quelle sorte de pain mange-t-on à la ferme ? 6. De quoi Monsieur Delsart complimente-t-il la fermière ? 7. Que dit la fermière de

Monsieur Delsart ? 8. Avant de partir que dit Monsieur Delsart à son fils ? 9. Que dit-il à Pierre ? 10. Quelle promesse Pierre fait-il à son oncle ?

B. *Indicate by OUI or NON whether the following statements are true or false:*

1. Les jambons sont pendus aux murs. 2. Le pain et le lait sont meilleurs qu'à Paris. 3. Monsieur Delsart est très satisfait de la chambre à coucher. 4. Pierre est plus âgé que son cousin. 5. Maurice veut retourner avec son père.

C. *Faites la description de la ferme Pichon.*

D. *Select from the group of words at the head of the exercise a word or words to fill suitably the blanks in the exercise that follows:*

1. de lait	5. de paille
2. au plafond	6. de fer
3. bis	7. pâle
4. parisien	8. bonne

1. une chaise ____	5. des jambons pendus ____
2. un bol ____	6. un oncle ____
3. une ____ santé	7. un pot ____
4. du pain ____	8. la figure ____

3

A. *Answer the following questions in French:*

1. Où Maurice marche-t-il le second jour ? 2. Que fait Madame Pichon dans la laiterie ? 3. Que désire faire Maurice ? 4. Où sont les grands bols de crème ?

5. Quand la crème est montée à la surface, que fait-on ? 6. Et ensuite que fait-on ? 7. Maurice se porte-t-il mieux ? 8. Qu'est-ce qui intéresse les enfants le plus ? 9. Que donnent-ils aux poules ? 10. Qu'est-ce qu'une poule a couvé ? 11. Qu'est-ce qui fait crier la poule ? 12. Les enfants que vont-ils chercher pour la vache brune et blanche ?

B. *Write a short paragraph on the following topics:*

1. Comment on fait le beurre.
2. Les animaux de la ferme.
3. Comment les enfants passent la matinée.

C. *Nommez six animaux que l'on trouve dans une ferme.*

D. *Complete the following sentences:*

1. Les poules aiment ____.
2. Les vaches aiment ____.
3. Les canards aiment ____.
4. Les chiens aiment ____.
5. Les enfants aiment les bols de ____.
6. La vache donne ____.
7. Le jambon vient du ____.
8. Les poules donnent des ____.
9. Avec la crème on fait du ____.
10. Dans un jardin il y a des ____.

4

A. *Answer the following questions in French:*

1. Quel jour arrive ? 2. Pourquoi Monsieur Delsart ne vient-il pas chercher les enfants ? 3. Qui

vient chercher les enfants ? 4. Quelle est l'intention de Madame Delsart ? 5. Qu'est-ce qu'elle apporte ? 6. En voyant son fils que dit Madame Delsart ? 7. A qui pense Madame Pichon ? 8. Que dit Madame Delsart de Pierre ? 9. Que dit Madame Pichon à Pierre au moment de partir ? 10. Que lui répond Pierre ?

B. *Indicate by OUI or NON whether the following statements are true or false:*

1. Monsieur Delsart vient chercher les enfants. 2. Madame Delsart apporte des jouets. 3. La fermière dit à Pierre de revenir à la ferme s'il n'est pas heureux. 4. Madame Pichon n'aime pas Madame Delsart. 5. Pierre reste avec Madame Pichon.

C. *Select from the list of words at the head of the exercise the proper word or words to complete the sentences that follow:*

1. du départ	5. d'être aimable
2. bien reconnaissante	6. leur mouchoir
3. revenir ici	7. trois semaines
4. montent	8. très occupé

1. Monsieur Delsart est ____.
2. Le jour ____ arrive.
3. Madame Delsart a l'intention ____.
4. Elle dit à la fermière: « Je vous suis ____ ».
5. Madame Pichon dit à Pierre: « Vous pouvez ____ ».
6. Ils ____ en voiture.
7. Ils agitent ____.
8. Ils ont été heureux pendant ____.

D. *Match the phrases of column A and column B so as to form sentences:*

A	*B*
1. Pendant les vacances	1. les gens aimables.
2. Le départ est le contraire de	2. des jouets comme cadeaux.
3. On aime toujours	3. on ne travaille pas.
4. On donne aux enfants	4. en quittant une personne.
5. On dit adieu	5. ceux qui vous aident.
6. Fermière est le féminin de	6. l'arrivée.
7. On est reconnaissant à	7. une voiture.
8. Pour aller à la gare on prend	8. fermier.

Chapitre IX

La vie de tous les jours

1

A. *Answer the following questions in French:*

1. Quelle est la vie de tous les jours ? 2. Pourquoi Monsieur Delsart gronde-t-il Pierre ? 3. Qu'est-ce que Pierre ne comprend pas ? 4. Qu'est-ce que Pierre se dit ? 5. Quel est le plus grand défaut de Pierre ? 6. Pourquoi Maurice ne travaille-t-il plus ? 7. Que dit Madame Delsart à son mari un jour ? 8. Comment Monsieur Delsart regarde-t-il Pierre ? 9. Quelle nouvelle résolution Pierre prend-il ? 10. Que va-t-il faire ?

B. *Indicate by OUI or NON whether the following statements are true or false:*

1. Il est difficile de reprendre la vie de tous les jours. 2. Pierre est aussi paresseux que son cousin. 3. Madame Delsart est contente de Pierre maintenant. 4. Pierre désire quitter Maurice. 5. Pierre décide de rattraper le temps perdu.

C. *Select from column B the antonyms to the words in column A:*

A	*B*
paresseux	trouver
attentive	bon
supériorité	diligent
gronder	complimenter
encourager	inattentive
mauvais	heureux
triste	infériorité
nouvelle	vieille
perdre	décourager

D. *Make the French sentence equivalent to the English sentence:*

1. Peter is also lazy.	1. Pierre est ____ aussi.
2. His uncle scolds him.	2. Son oncle le ____.
3. He follows the example of his cousin.	3. Il suit l'exemple ____.
4. What do you think of your little hero?	4. ____ de votre petit héros?
5. He is going to forget the pleasures of the farm.	5. Il va oublier ____.

6. He decides to make up the lost time. | 6. Il décide de rattraper ____.

2

A. *Answer the following questions in French:*

1. Quel temps fait-il au mois de juin ? 2. Pourquoi Madame Delsart n'aime-t-elle pas l'été ? 3. Qu'est-ce que le médecin recommande pour Maurice ? 4. Où va Miss Nancy ? 5. Que dit-elle aux enfants en partant ? 6. Que voit-on sur la plage ? 7. Que font les dames et les messieurs ? 8. Qu'est-ce que les enfants apprennent ? 9. Qu'arrive-t-il lorsque Maurice désire nager ? 10. Pourquoi Pierre est-il le général de la bande ?

B. *Indicate by OUI or NON whether the following statements are true or false:*

1. Pierre dirige les travaux de l'architecture de sable. 2. Les enfants font de beaux forts. 3. Il n'y a pas de fossés autour des châteaux de sable. 4. Ces châteaux sont si forts que la mer ne peut les détruire. 5. Maurice est le général de la bande.

C. *Select from the list of words at the head of the exercise the word or words that most suitably complete the sentences that follow:*

1. l'air de la mer
2. le général
3. des châteaux de sable
4. il fait chaud
5. de petites cabines blanche
6. la mer
7. nager
8. à Londres

1. Au mois de juin ____.
2. Le docteur recommande ____ pour Maurice.
3. Miss Nancy va ____.
4. Sur la plage il y a ____.
5. Les enfants apprennent à ____.
6. Pierre est ____ de la bande.
7. Les petits travailleurs de la mer font ____.
8. ____ détruit l'architecture de sable.

D. *Write a short paragraph on each of the following topics:*

1. Comparez ce que Madame Delsart fait en été avec ce qu'elle fait en hiver.
2. Décrivez la plage.
3. Quels sont les plaisirs des enfants au bord de la mer.

3

A. *Answer the following questions in French:*

1. Qu'est-ce que le général de la bande ne permet pas ? 2. Que dit Pierre un jour à un petit garçon ? 3. Avec quoi jouait le petit garçon ? 4. Que faisait le garçon à la pauvre bête ? 5. Pourquoi l'action est-elle cruelle ? 6. Que dit Pierre à la bande ? 7. Que dit-il au petit garçon ? 8. Que fait la bande alors ? 9. Que demande le petit garçon au bout de deux jours ? 10. Pourquoi le petit garçon ne savait-il pas que cela fasait mal au crabe ?

B. *Indicate by OUI or NON whether the following statements are true or false:*

1. Un petit garçon caressait un crabe. 2. Le petit garçon ne faisait pas mal au crabe. 3. La bande n'a pas joué avec le petit garçon pendant deux jours. 4. Le petit garçon a demandé de revenir dans la bande. 5. Personne dans la bande ne fait plus mal aux bêtes.

C. *Give for each of the following words a French word that is naturally associated with it in thought.*

MODEL le jardin — les fleurs

1. un bateau	6. la mer
2. la terre	7. le pied
3. le déjeuner	8. les vagues
4. l'été	9. le sable
5. la plage	10. une patte

D. *Make the French sentence equivalent to the English sentence:*

1. He does not permit cruelty.	1. Il ne permet pas ____.
2. I am playing with a crab.	2. Je joue ____.
3. He pulled off his claw.	3. Il lui a arraché ____.
4. You are hurting the animal.	4. Vous ____ à la bête.
5. The whole band went away.	5. ____ est partie.

4

A. *Answer the following questions in French:*

1. Quelle sorte de place Pierre et Maurice cherchent-ils pour lire ? 2. Pourquoi Pierre ne veut-il pas aller

dans le coin où Maurice désire aller ? 3. Quelle sorte de coin Pierre choisit-il ? 4. Quelle histoire Pierre lit-il ? 5. Pourquoi Maurice ne continue-t-il pas à lire ? 6. Pourquoi Pierre ne veut-il pas parler à Maurice ? 7. Pourquoi Maurice jette-t-il un regard sur Pierre ? 8. A quelle place dans l'histoire Pierre est-il quand il entend un cri ? 9. Quelle voix Pierre croit-il reconnaître ? 10. Où va Pierre ?

B. *Write a short paragraph on the following topics:*

1. Le coin choisi par Pierre.
2. Simbad, le marin.

C. *Distinguish between the following words:*

mer — mère	il faut — une faute
au — eau	je bande — la bande
pas — un pas	âgé — âge
fort — un fort	vers — vert
ferme — une ferme	embrasser — embarrasser

D. *Make the French sentences equivalent to the English sentences:*

1. It is very warm.	1. ____ très chaud.
2. They look for a shady place.	2. Ils cherchent une place à ____.
3. The rocks serve as seats.	3. Les rochers servent de ____.
4. Sinbad thinks that it is a little black island.	4. Simbad croit que c'est ____.
5. They make a fire.	5. Ils ____.
6. It is a whale.	6. C'est ____.

7. It plunges into the water.	7. Elle se plonge ——.
8. Pierre hears a cry of terror.	8. Pierre entend ——.
9. He looks around him.	9. Il regarde ——.
10. He climbs up the cliff.	10. Il monte ——.

Chapitre X

L'Accident

1

A. *Answer the following questions in French:*

1. Que voit Pierre du haut du rocher? 2. De quoi Pierre a-t-il peur? 3. Où est tout le monde? 4. Qu'est-ce que la dernière vague a presque fait? 5. Quelle est la seule chose à faire? 6. Que fait Pierre avant de descendre? 7. Pourquoi la descente n'est-elle pas facile? 8. Pourquoi Pierre jette-t-il un cri de terreur quand il regarde son cousin? 9. Que fait Pierre pour aller plus vite? 10. Que fait-il quand il arrive auprès de son cousin? 11. Qu'est-il arrivé au bras de Maurice? 12. Que fait Pierre pour appeler au secours?

B. *Indicate by OUI or NON whether the following statements are true or false:*

1. Maurice est tombé dans l'eau. 2. Pierre saute du haut de la falaise. 3. Pierre tire son cousin de l'eau. 4. Il le pose sur le sable. 5. Pierre voit que Maurice s'est cassé la jambe.

C. *Make the French sentence equivalent to the English:*

1. Look, the tide is coming in.	1. Regardez, ——.
2. Suddenly he looks at his cousin.	2. —— il regarde son cousin.
3. Fortunately the water is not deep.	3. Heureusement l'eau ——.
4. How to call for help?	4. Comment appeler——.
5. Maurice is pale and motionless.	5. Maurice est ——.
6. He waved his handkerchief.	6. Il ——.

D. *From the list of words at the head of the exercise select the proper word to complete the sentences that follow:*

1. rochers
2. sable
3. marée
4. mur
5. mouchoir

1. La plage est couverte de ——.
2. Au bord de la mer il y a des ——.
3. La falaise borde la mer comme un grand ——.
4. Quand on désire du secours on agite un ——.
5. Les vagues sont hautes quand la —— monte.

2

A. *Answer the following questions in French:*

1. Enfin qu'est-ce que Pierre entend? 2. Que répond Pierre au monsieur? 3. Que fait le jeune marié

de Pierre ? 4. Que fait la jeune mariée ? 5. Pourquoi le monsieur descend-il sur la plage ? 6. Où met-il Maurice ? 7. La jeune mariée que montre-t-elle à son mari ? 8. Que demande Pierre à la jeune dame ?

B. *Indicate by OUI or NON whether the following statements are true or false:*

1. Pierre abandonne Maurice. 2. Le jeune marié met Maurice dans son bateau. 3. Pierre a les jambes écorchées. 4. La jeune mariée sourit. 5. Pierre croit que Maurice est mort.

C. *Select from the list of words at the head of the exercise the proper word to complete the sentences that follow:*

1. jeunes mariés	4. jeune couple
2. une voix	5. le bateau
3. là-haut	6. son manteau

1. Pierre entend ____ d'homme.
2. La jeune mariée enveloppe Pierre dans ____.
3. L'homme et la femme sont de ____.
4. Le monsieur pose Maurice dans ____.
5. « Il est tombé de ____ », dit Pierre.
6. Pierre connaît le ____.

D. *Select from column B the words to fill the blanks in column A:*

A	*B*
1. une vague ____	de terreur
2. la terre ____	haute
3. l'enfant ____	gauche
4. le sable ____	ferme

5. un cri ____	pâle
6. se promener ____	écorchées
7. les jambes ____	jeune
8. un ____ marié	en bateau
9. une voix ____	sec
10. le bras ____	douce

3

A. *Answer the following questions in French:*

1. Que fait-on à l'hôtel? 2. Que crie Madame Delsart quand elle voit Maurice dans les bras du monsieur? 3. Que répond le monsieur? 4. Où le monsieur pose-t-il Maurice? 5. Qu'est-ce que le jeune marié envoie à monsieur Delsart? 6. Que fait-il ensuite? 7. Où est Pierre pendant ce temps? 8. Que dit Madame Delsart à Pierre quand elle le voit? 9. Quelle idée ne vient pas à Pierre? 10. Avec quel sentiment Pierre quitte-t-il la chambre? 11. Où va Pierre quand il quitte la chambre de Maurice? 12. Pierre est-il malade? 13. Que trouve-t-il injuste? 14. Que fait Pierre en pensant à sa tante?

B. *Indicate by OUI or NON whether the following statements are true or false:*

1. Maurice est mort. 2. Madame Delsart est furieuse. 3. Elle déteste Pierre. 4. Pierre est effrayé. 5. Il dit: « C'est moi qui l'ai sauvé. »

C. *Select from the words in parentheses the word or words that complete the sentence:*

1. Maurice est tombé sur ___ (l'eau, un rocher, le sable, un arbre).
2. La marée ___ (court, descend, monte, marche).
3. On voit des vagues dans ___ (la falaise, la rue, le champ, la mer).
4. Le jeune marié envoie ___ (une lettre, une dépêche, une carte, un billet) à Monsieur Delsart.
5. Madame Delsart est ___ (contente, triste, heureuse, furieuse) de voir Pierre.
6. Pierre a ___ (le bras cassé, mal à la tête, la fièvre, perdu connaissance).

D. *Make the French sentences equivalent to the English sentences:*

1. " Go away, " said she.	1. « ___ », dit-elle.
2. Each cry hurts him.	2. Chaque cri lui ___.
3. He never saw such anger.	3. Il n'a jamais vu ___.
4. Pierre falls in a corner.	4. Pierre tombe ___.
5. He is too unhappy to cry.	5. ___ pour pleurer.
6. Peter has a headache.	6. Pierre a ___.
7. He falls asleep.	7. Il ___.
8. His head is against the wall.	8. Il a la tête ___.

4

A. *Answer the following questions in French:*

1. Pourquoi Pierre se lève-t-il ? 2. Que fait-il ? 3. Qu'entend-il ? 4. Quand Pierre entre dans la

chambre, que lui dit son oncle ? 5. Pourquoi Pierre a-t-il les larmes aux yeux ? 6. Que crie le petit malade ? 7. Que dit Pierre au médecin ? 8. Quand tout est fini que dit le médecin à Pierre ? 9. Qu'est-ce qui fait plaisir à Pierre ? 10. Quand on appelle Madame Delsart, que fait Pierre ? 11. Que fait Pierre quand il arrive dans sa chambre ? 12. Quelles paroles répète-t-il continuellement ?

B. *Write a short paragraph on each of the following topics:*

1. Pierre se réveille.
2. Pierre dans la chambre de son cousin.
3. Pierre dans sa chambre.

C. *Make the French sentences equivalent to the English sentences:*

1. Maurice repeats, "I want Peter."	1. Maurice répète: « —— ».
2. "Here I am," replies Peter.	2. « —— », répond Pierre.
3. Peter's uncle says, "Go away."	3. L'oncle de Pierre dit: « —— . »
4. I promise to be very quiet.	4. Je promets d'——.
5. That will give him courage.	5. Cela lui donnera ——.
6. All is over, my little friend.	6. ——, mon petit ami.
7. He kisses his cousin.	7. Il —— son cousin.
8. He has a fever.	8. Il a la ——.

D. *Select from the list of words at the head of the exercise the proper word to complete the sentences that follow:*

1. yeux	6. coucher
2. le médecin	7. heureux
3. la voix	8. chambre
4. souffre	9. jour
5. la fièvre	10. tante

1. Quand on est malade on a souvent ——.
2. Quand on est triste on a les larmes aux ——.
3. Quand on parle on emploie ——.
4. Quand on est malade on envoie chercher ——.
5. Quand on a mal on ——.
6. Quand on a du plaisir on est ——.
7. Un oncle est le mari d'une ——.
8. La nuit est le contraire du ——.
9. La porte ferme l'entrée d'une ——.
10. Un lit est pour se ——.

Chapitre XI

Frères

1

A. *Answer the following questions in French:*

1. Qui arrive le lendemain matin ? 2. Que dit la jeune mariée de Pierre ? 3. Pourquoi Madame Delsart était-elle embarrassée ? 4. Où va Monsieur Delsart immédiatement ? 5. Qu'est-ce qui amène les deux femmes dans la chambre de Pierre ? 6. Où est Pierre ? 7. Qu'est-ce que Pierre répète continuellement ? 8. Quand le médecin arrive que dit-il de

Pierre ? 9. Qui soigne Pierre ? 10. Qu'est-ce qui donne de la joie ? 11. Comment Pierre appelle-t-il Madame Delsart un jour ? 12. Que répond Madame Delsart ? 13. Un jour que Monsieur Delsart entre dans la chambre de Pierre qu'entend-il ? 14. Que fait Monsieur Delsart ? 15. Que dit-il au petit malade ? 16. Qu'est-ce qui illumine la figure du petit malade et que dit-il ?

B. *Indicate by OUI or NON whether the following statements are true or false:*

1. Madame Delsart pense que les jeunes mariés ont sauvé son fils. 2. Pierre est la cause de l'accident. 3. Pierre n'a pas raconté l'histoire de l'accident à sa tante. 4. Pierre a tenu la tête de Maurice pendant l'opération. 5. Pierre est maintenant très malade. 6. Sa tante ne va jamais près de lui. 7. Monsieur Delsart dit un jour à Pierre que la dette de son père est payée. 8. Pendant la fièvre Pierre semble parler à sa maman.

C. *Select from the list of words at the head of the exercise the proper word or words to complete the sentences that follow:*

1. la dette	6. le lit
2. Pierre	7. sourire
3. mouillés	8. fièvre
4. soigne	9. douloureuse
5. quittes	10. nouvelles

1. Au milieu de l'agitation on a oublié ——.

2. L'exclamation —— de Monsieur Delsart amène les deux dames.

3. Les vêtements de Pierre sont ____.
4. Madame Delsart ____ Pierre elle-même.
5. Pierre murmure souvent: « ____ de mon papa ».
6. Pierre a une forte ____.
7. Le mot « ____ » frappe l'oreille de l'enfant.
8. Un ____ radieux illumine la figure du petit malade.
9. Tout le monde demande des ____ du petit malade.
10. Madame Delsart ne quitte plus ____ de Pierre.

2

A. *Answer the following questions in French:*

1. Quand Pierre va mieux que font les enfants? 2. Qu'est-ce que les petites filles apportent à Pierre? 3. Qu'est-ce que cela lui rappelle? 4. Quelle différence Pierre remarque-t-il? 5. Que dit Pierre un jour à sa tante? 6. Que lui répond sa tante? 7. Qu'est-ce que Pierre comprend maintenant? 8. Comment Pierre remercie-t-il sa tante? 9. Que crie Maurice? 10. Que fait et que dit l'avocat?

B. *Indicate by OUI or NON whether the following statements are true or false:*

1. Tout le monde est heureux quand Pierre va mieux. 2. Pierre a perdu la poupée de Lisette. 3. Pierre demande à sa tante de ne pas sortir. 4. Madame Delsart pense que Pierre a sauvé son fils. 5. Monsieur Delsart dit à Pierre que la dette de son père est payée.

C. *Complete the following sentences:*

1. C'est une grande joie quand ——.
2. Les poupées des petites filles rappellent à Pierre ——.
3. Il y a —— qui n'existait pas avant sa maladie.
4. Madame Delsart désire que Pierre continue à l'appeler ——.
5. En sauvant Maurice Pierre a donné à Madame Delsart ——.
6. Pierre a réussi à ——.
7. Maurice est content parce que ——.
8. Monsieur Delsart dit: « ——, mon fils, —— ».

RÉSUMÉ

1. Pierre quitte Saint-Nazaire parce que sa mère est ——.
2. Il va à Paris chercher ——.
3. Il désire payer la —— de son père.
4. Les clients du médecin de Saint-Nazaire donnent à Pierre de l'argent pour ——.
5. A Nantes on lui —— son argent.
6. Il tombe sans connaissance chez ——.
7. Il gagne assez d'argent à la ferme pour aller à Paris en ——.
8. Son oncle l'accepte comme un fils mais sa tante ——.
9. Il fait la résolution qu'un jour sa tante ——.
10. Il aime beaucoup son ——, Maurice.
11. Un jour Maurice tombe ——.

12. Quand Maurice va mieux les deux enfants vont à ____.

13. Il s'amuse bien à regarder ____.

14. Pendant l'été toute la famille va ____.

15. Maurice tombe du haut d'un ____.

16. Il se casse le ____.

17. ____ sauve son cousin.

18. Madame Delsart est reconnaissante à Pierre et lui dit de l'appeler ____.

19. Monsieur Delsart lui dit: « ____ ».

20. Pierre est très heureux parce qu'il a payé la ____ de son père et accompli le ____ de sa mère.

WORDS FOR SPECIAL STUDY

Chapitre I

1

le **voisin** neighbor
jouer to play
moins less
aider to help
l'**ouvrière** *f.* working woman
coudre to sew
du matin au soir from morning till night
gagner to earn
habiter to live in, occupy
la **mansarde** garret
laid ugly
le **bateau** boat
partir to depart
traverser to cross

2

tomber to fall
malade ill
elle meurt she dies
seul alone
le **monde** world
rentrer to come in, return
rencontrer to meet
demeurer to live, dwell
même *adj.* same
le **bras** arm
le **cou** neck
le **docteur** doctor
rester to remain

3

à côté de beside
assis seated
la **malle** trunk
attendre to wait
ensemble together
tirer to pull
le **morceau** piece
le **chocolat** chocolate
la **poche** pocket
la **moitié** half
frais, fraîche fresh
silencieux silent
l'**ouvrage** work
travailler to work

4

dépêchez-vous hurry
fâché cross
près de near
quitter to leave
la **chambre** room
promettre to promise
le **coin** corner
le **tablier** apron
la **bouche** mouth

CHAPITRE II

1

tirer to pull
Quel âge avez-vous? How old are you?
J'ai ... ans I am ... years old.
réfléchir to think
apprendre teach
appris taught
la **vérité** the truth
quelquefois sometimes
avoir peur to be afraid
avoir raison to be right
se moquer de to make fun of
l'obscurité the dark
blesser to hurt
toujours still, always
vrai, vraie real, true

2

l'histoire *f.* story
raconter to tell
la **voix** voice
doux, douce sweet
gai, gaie gay, cheerful
aîné older, oldest
l'avocat *m.* lawyer
le **compagnon** companion
perdre to lose
la **somme** sum
voler to steal
le **patron** employer
gros, grosse large

3

plaindre to pity
rendre to give back
quitter to leave
longtemps for a long time
revenir to come back
épouser to marry
le **reste** rest
mort dead, died
oublier to forget
la **faute** fault
le **repentir** repentance

4

le **désir** desire
réussir to succeed
faire to do, make
probablement probably
le **travail** work
l'**ouvrier** *m.* workman
peut-être perhaps
le **moyen** the means
payer to pay
la **dette** debt

5

le **client** patient
le **voyage** journey
ainsi so
le **paquet** package
le **linge** underwear
le **passé** past
la **pièce** coin
le **sou** cent
la **poupée** doll
la **porcelaine** china, porcelain
le **doigt** finger

6

adieu good-bye
chez {to / at} the house of
bonsoir good evening
jouer aux billes to play marbles
ensemble together
expliquer to explain
le **chemin** road
le **bateau** boat
le **train** train
la **pièce blanche** silver coin
la **doublure** lining
la **veste** coat
arriver to arrive, happen
merci thanks
bientôt soon
apprendre to learn

Chapitre III

1

courir to run
mal élevé badly brought up
la **phrase** sentence
le **mieux du monde** the best way possible
fier, fière proud
la **viande** meat
le **paysan** farmer
le **panier** basket
le **légume** vegetable
le **poisson** fish
le **coin** corner

2

le voyageur traveler
puis then
sortir to take out
compter count
jouer aux cartes to play cards
la boîte box
la partie de cartes game of cards
loin far
prendre (des troisièmes) to buy third class tickets
le billet de troisième classe third class ticket
compliqué complicated

3

le bruit noise
descendre to get off
derrière behind
la chance good luck
le protecteur protector
la gare station
acheter to buy

4

le jambon ham
le vin wine
l'endroit *m.* place
hors de outside
s'installer to settle
la grange barn
dormir to sleep
coûter cher to cost much, cost a great deal
le canard duck
boire to drink
se réveiller to awaken
vide empty

Chapitre IV

1

sans without
sec dry
tomber to fall
à terre to the ground
ramasser to pick up
un camarade friend, playmate
marcher to walk
tout à coup suddenly
depuis for, since
courageux brave
tendresse affection
souffrir suffer

2

continuer continue
le **chemin** way
vivre to live
gâté spoiled
le **reste** rest
jouer aux billes to play marbles
tout le monde everybody
animé animated, gay
de son côté on his side
la **résolution** resolution

3

l'**heure** hour
le **déjeuner** lunch
se **rappeler** to remember
plus tard later
coucher to sleep
aller en chemin de fer to go by train
aller à pied to go on foot
le **pas** step
maman mamma
veut bien wishes, is willing
la **cuisine** kitchen
la **ferme** farm
la **soupe** soup
la **soupe aux choux** cabbage soup

4

par le soleil in the sun
par la pluie in the rain
toujours always
fatigué tired
le **vêtement** garment
le **soulier** shoe
tomber en loques to fall to pieces
cependant however
la **mémoire** memory
dépenser to spend
quelque part somewhere
s'endormir to fall asleep
le **champ** field
la **meule de foin** haystack
enjamber to climb over
la **barrière** fence
sans connaissance unconscious

5

le **fermier**, la **fermière** farmer
allez-vous-en ! Go away !
remuer to move
il y a six mois six months ago
sembler to seem
le **cœur** the heart

battre to beat
le **lit** bed
donner à manger to give something to eat
peu à la fois little at a time
profondément (to sleep) soundly

6

faible weak
sourire smile
en souriant smiling
presque almost
croire to think, believe
sur parole upon his word
la **vérité** truth
ajouter to add
garder to keep
devenir to become
le **cultivateur** farmer
la **saison** season
se fortifier to grow strong
la **tentation** temptation
les **braves gens** good people

Chapitre V

1

le **son** sound
la **musique** music
la **danse** dancing, dance
bruyant noisy
au milieu de in the midst of
fêter to celebrate
l'**anniversaire** *m.* birthday
la **matinée costumée** fancy dress party
le **conte de fées** fairy tale
la **culotte** knee breeches
le **manteau** coat
doublé de lined with
bleu clair light blue
bleu foncé dark blue
l'**épée** *f.* sword

2

s'amuser to have a good time
gêner to embarrass
les **grandes personnes** grown-ups
le **jeu** game
la **tasse de thé** cup of tea
entendre to hear
bander to tie, bandage
les **yeux** eyes
jouer au colin-maillard to play Blindman's Buff
avec entrain with enthusiasm

3

fumer to smoke
le **bureau** office
traverser cross
le **corridor** corridor
distinguer distinguish
le **bruit** noise
le **domestique** man servant
le **vagabond** tramp
écouter to listen to
vouloir to wish
il faut que it is necessary that
calmer to calm

4

hésiter to hesitate
supplier to beg
longuement for a long time
prouver to prove
mentir to tell a lie
fier, fière proud
recevoir de ses nouvelles to hear from
se plaindre to complain
la **tâche** task
utile useful
l'adresse *f.* address
croire to think
maintenant now

5

la **preuve** proof
le **héros** hero
prendre au sérieux to take seriously
la **colère** anger
vilain, vilaine bad
le **mal** evil, harm
le **chagrin** sorrow
la **souffrance** suffering
prendre fin to come to an end
aller à to fit, be becoming to
la **gouvernante** governess
le **costume marin** sailor-suit

6

embrasser to kiss
la **présentation** introduction
faire une partie de to have a game of
jouer au loup et l'agneau / **jouer au renard et les oies** to play wolf and lamb / fox and geese

brusque rough
rassuré reassured
ramasser to pick up
essuyer to dry
la **larme** tear
porter bonheur to bring good luck
l'orphelin *m.* orphan
baisser to lower

Chapitre VI

1

l'arrivée arrival
remercier de to thank for
l'aventure *f.* adventure
l'école primaire primary school
montrer to show
ingrat ungrateful
sauver to save
le **changement** change
devenir to become
reconnaissant grateful
la **coquille de noix** nut shell
raconter to tell

2

étudier to study
le **prisonnier** prisoner
la **tour enchantée** enchanted tower
gronder to scold
parfait perfect
sérieusement seriously
faire honneur to do honor
mon petit père chéri my dear father
jouer aux soldats to play soldiers
la **bataille** battle

3

monotone monotonous
la **promenade** walk
la **demi-heure** half hour
naturel natural
habiller to dress
gagner to earn
surpris surprised
promettre to promise
avoir besoin to need
l'affection love, affection

Chapitre VII

1

maigre thin
soigner to take care of
à l'envers wrong side
à l'endroit right side
permettre to permit
intéresser to interest
le **bois blanc** white wood, pine
l'oignon *m.* onion
pendre to hang
le **plafond** ceiling
le **cochon** pig
la **vache** cow
la **poule** hen
le **bonheur** happiness

2

lentement slowly
apporter to bring
la **médecine** medicine
les **vacances de Pâques** Easter vacation
envoyer to send
l'œuf à la coque soft-boiled egg
aller mieux to be better
reprendre to resume
la **vie** life
régulière regular
le **devoir** work, assignment
dépasser to get ahead of

Chapitre VIII

1

tenir to keep, hold
la **promesse** promise
reconnaître to recognize
sentir to feel
caresser to caress
la **cour** yard
propre neat
le **bâtiment** building
ombragé shaded
embarrassé embarrassed
le **tablier** apron
sauver to save

2

la **chaise de paille** straw-bottomed chair
le **plafond** ceiling
le **pot de fer** iron cook pot

suspendre to hang
au-dessus de above
le bol bowl
le lait milk
le pain bis brown bread
la propreté neatness
Parisien Parisian
confier to entrust
tout de suite at once

3

le troupeau herd
la laiterie dairy
le beurre butter
la planche board, shelf
la crème cream
écrémer to skim
battre to churn, beat
fatiguer to tire
l'appétit *m.* appetite
le muscle muscle
le grain grain
la poule hen
le poussin chick
couver to hatch
le trèfle clover
le jardin potager vegetable garden

4

le départ departure
occupé busy
aimable amiable
le cadeau present
le jouet toy
tendre to extend
perdre to lose
la voiture carriage, car
pouvoir to be able
agiter to wave
le mouchoir handkerchief

Chapitre IX

1

paresseux lazy
l'amitié *f.* friendship
le droit right
inattentif inattentive
servir to serve
le modèle model
humilié humiliated
l'exemple *m.* example
le plaisir pleasure
rattraper to catch up, to make up
le temps perdu lost time

2

le bal ball, party
la mer sea
la plage beach
le bain de mer bathing
la cabine little bath house
la vague wave
nager to swim
l'ombre shade
le général general
le sable sand
le château castle
entourer to surround
le fossé ditch
bâtir to build
détruire to destroy

3

la cruauté cruelty
le crabe crab
arracher to tear off
la patte paw, claw
souffrir to suffer
la quarantaine quarantine
au bout de at the end of, after
demander grâce to ask pardon
défendre to forbid
puisque since
faire mal to hurt

4

la marée tide
en haut (en bas) above, (below)
choisir to choose
le siège seat
intéresser to interest
de côté aside
jeter to throw
le regard glance
le rocher rock
l'île *f.* island
le feu fire
la baleine whale
le dos back
plonger to dive
la terreur terror
l'éclair *m.* flash of lightning
la falaise palisade *or* cliff

Chapitre X

1

étendre to stretch out
immobile motionless
la vue sight
monter rise, climb

couvrir to cover
se sentir to feel
la **prière** prayer
glisser to slide, slip
tuer to kill
la **descente** descent
le **mur** wall
tout à coup suddenly
la **marche** step
oser to dare
s'élancer to jump
profond deep
casser to break
le **secours** help

2

Qu'avez-vous? What is the matter with you?
là-haut up there
connaître to know
le **couple** couple
envelopper to wrap
le **manteau** coat
lever to lift
poser to put down
la **jeune mariée** bride
la **jambe** leg
écorcher to skin
couvert covered
le **sang** blood

3

reprendre connaissance to regain consciousness
l'adresse *f.* address
envoyer to send
la **dépêche** telegram
en attendant que while waiting for
rester to remain
furieux angry
mener to lead
détester to hate
effrayer to frighten
la **colère** anger
pareil, pareille such
partager to share
s'endormir to fall asleep

4

se réveiller to awaken
se lever to arise
le **corps** body
dur hard
la **façon** way
tranquille quiet
la **fièvre** fever
répéter to repeat
continuellement continually
le **mot** word

Chapitre XI

1

frapper to knock
les **nouvelles** news
l'accident accident
terminer to end
douloureux sorrowful
mouillé wet
la **joie** joy
diminuer to diminish
l'oreille ear
le **sourire** smile
radieux radiant

2

apporter to bring
le **jouet** toy
la **douceur** tenderness
la **tendresse** love
quittes quits
égal equal
le **baiser** kiss
de cette façon in this way

VOCABULAIRE

FOREWORD

The vocabulary is intended to be complete. Since the text is prepared for early reading, all forms of irregular verbs, contractions, etc., which might possibly be difficult for the student are included. All forms of irregular verbs found in the text are listed in the vocabulary, as well as future and conditional tenses of regular and irregular verbs.

The following abbreviations are employed:

abbrev.	abbreviation	*ind.*	indicative
adj.	adjective	*m.*	masculine
adv.	adverb	*part.*	participle
art.	article	*per.*	person
cond.	conditional	*plu.*	plural
conj.	conjunction	*prep.*	preposition
f.	feminine	*pres.*	present
fut.	future	*pro.*	pronoun
impf.	imperfect	*sing.*	singular
imv.	imperative	*sub.*	subject

VOCABULAIRE

A

a has (*3rd. per. sing. pres. ind. of* **avoir**)
à at, to, in, on, by, with, until
abandonner to abandon
l'absence absence
absent, -e absent
l'accent *m.* tone
accepter to accept
l'accident *m.* accident
accompagner to accompany, to go with
l'accord *m.* agreement
acheter to buy
l'acheteur *f.* buyer
actif, active active
l'action action, deed
adieu *m.* good-bye
admettre to admit
admis admitted *past part. of* **admettre**
l'adoption *f.* adoption
l'adresse *f.* address
affaiblir to become weak
l'affection *f.* affection, love
l'âge *m.* age
Quel âge avez-vous? How old are you?
âgé, -e old
agiter to wave
l'agneau *m.* lamb
ah! ah!
aider to help
Que Dieu aide May God help
aimable kind, amiable
aimer to like, to love
aimer mieux to prefer
aimera will like, will love (*3rd per. sing. fut. of* **aimer**)
aimerait would like, would love (*3rd. per. sing. cond. of* **aimer**)
aîné, -e older
ainsi so, thus
l'air *m.* air, appearance
avoir l'air de to appear
ajouter to add
aller to go
aller à to fit
aller à pied to walk
aller bien to be well
aller mieux to be better
s'en aller to go away

alors then
Amboise *a city in France*
amener to bring
l'Amérique America
l'ami *m.* friend
l'amie *f.* friend
l'amitié *f.* friendship
l'amour *m.* love
amusant, –e amusing
amuser to amuse
s'amuser to amuse oneself, have a good time
l'an *m.* year
avoir dix ans to be ten years old
l'anglais *m.* English (*language*)
l'Anglais Englishman
l'Anglaise Englishwoman
l'animal *m.* (*plu.* **animaux**) animal
animé, –e lively
l'anniversaire de naissance *m.* anniversary, birthday
l'appel *m.* call
appeler to call
s'appeler to be called
l'appétit *m.* appetite
apporter to bring
apprendre to learn, to teach
appris learned, taught (*past part. of* **apprendre**)
après after
l'arbre *m.* tree
l'architecture *f.* architecture
l'argent *m.* silver, money
l'arme *f.* arm, weapon
arracher to pull off
l'arrivée *f.* arrival
arriver to arrive, to happen
asseoir to seat
s'asseoir to sit down
assez enough
assis, –e seated
l'Atlantique Atlantic
attacher to attach
s'attacher à to become fond of
attaquer to attack
attendant awaiting
en attendant meanwhile
attendre to wait for
au (**à** + **le**) *see* **à**
au milieu de in the midst of
au revoir good-by
au secours! help!
au-dessus above
aujourd'hui today
auprès de near
aurez will have (*2nd per. plu. fut. of* **avoir**)
aussi also
aussi . . . que as . . . as
autant as much
auteur *m.* author

autour de around
autre other
aux (**à** + **les**) *see* **à**
avait had (*3rd per. sing. impf. of* **avoir**)
avancer to approach
avant before
avant de before (*followed by the infinitive*)
avant que before (*followed by the subjunctive*)
avec with
l'avenir *m.* future
l'aventure *f.* adventure
l'aviateur *m.* aviator
aviez had (*2nd. per. plu. impf. of* **avoir**)
l'avion *m.* aeroplane
l'avocat *m.* lawyer
avoir to have
Qu'avez-vous? What is the matter?
Quel âge avez-vous? How old are you?
J'ai . . . ans I am . . . years old
avoir besoin de to need
avoir chaud to be warm
avoir envie de to wish
avoir faim to be hungry
avoir froid to be cold
avoir l'air de to look like
avoir mal à la tête to have a headache
avoir peur to be afraid
avoir raison to be right
avoir soif to be thirsty
avoir soin de to take care of
avoir sommeil to be sleepy
avril *m.* April

B

bah nonsense
le bain bath, swim
les bains de mer seashore
le baiser kiss
baisser to lower
le bal ball, party
le balcon balcony
la baleine whale
la bande group
bander les yeux to blindfold
le baron baron
la barrière fence
bas, basse low
la bataille battle
le bateau boat, steamer
bâti, -e built (*past part. of* **bâtir**)
le bâtiment building
bâtir to build

battre to churn, to beat
bat beats (*3rd per. sing. pres. ind. of* battre)
se battre to fight
beau (bel), belle beautiful
Beaucaire city in south of France
beaucoup much, many, a great deal
bel *see* **beau**
belle *see* **beau**
bénisse bless (*3rd per. sing. pres. sub. of* **bénir**)
Que Dieu bénisse God bless
le **berger** shepherd
le **besoin** need
avoir besoin de to need
la **bête** animal
le **beurre** butter
bien well, very, certainly
eh bien! well! very well!
bien enfant still a child
bientôt soon
la **bille** marble
jouer aux billes to play marbles
le **billet** ticket
bis, –e brown
blanc, blanche white
pièce blanche silver coin
blessé, –e hurt
blesser to hurt
se blesser to hurt oneself
bleu, –e blue
blond, –e fair
boire to drink
le **bois** wood
bois blanc pine
boit drinks (*3rd. per. sing. pres. ind. of* **boire**)
la **boîte** box
le **bol** bowl
bon, bonne good
bon pour good to
le **bonheur** good fortune, happiness
bonjour good morning
bonsoir good night
la **bonté** kindness
le **bord** edge
bord de la mer seaside
border to border
la **bouche** mouth
la **boucle** curl
la **bourse** purse
le **bout** end
au bout de after
la **branche** branch
le **bras** arm
brave good, brave
briller to shine
brodé, –e embroidered

le **bruit** noise
brûlant, –e feverish
brûler to burn
brun, –e brown
brusque rough
bruyant, –e noisy
le **bûcher** stake
le **buisson** bush
le **bureau** office

C

c' *see* **ce**
c'est he is, it is, she is
la **cabine** bath house
cacher to hide
le **cadeau** present
le **café** coffee
calme calm
calmer to calm
le **camarade** comrade
la **campagne** country
le **canard** duck
le **captif,** la **captive** captive
car for, as, because
caresser to caress
la **carte** card
jouer aux cartes to play cards
Carthage *a city in Africa*
cassé, –e broken
casser to break
la **cause** cause
à cause de because of
causer to talk
ce *pro.* it, this, that
ce (cet), cette, (*plu.* **ces**) *adj.* this, that; **ce qui, ce que** what
ceci this
cela that
celui, celle (*plu.* **ceux, celles**), this, that, the one
cent one hundred
cependant however
ceux *see* **celui**
chacun, –e each, each one
le **chagrin** sorrow
la **chaise** chair
la chaise de paille straw-bottomed chair
la **chambre** room
chambre à coucher bedroom
le **champ** field
la **chance** good luck
changé, –e changed
le **changement** change
changer to change
la **chanson** song
le **chant** song
chanter to sing
le **chapitre** chapter
chaque each
charger de to charge with
la **charité** charity
charmant, –e charming
le **charme** charm
chasser to drive away
le **château** castle

chaud, –e warm
avoir chaud to be warm (*person*)
faire chaud to be warm (*weather*)
le chemin road, way
le chemin de fer railroad
la cheminée fireplace
la chemise shirt
cher, chère dear, expensive
chercher to look for
chéri, –e dear
le cheval (*plu.* **chevaux**) horse
le chevalier knight
le cheveu hair
chez at, to, in the house of . . .
le chien dog
le chocolat chocolate
choisir to choose
la chose thing
le chou (*plu.* **choux**) cabbage
le ciel (*plu.* **cieux**) sky
le cimetière cemetery
cinq five
clair, –e light (*in color*)
le client patient
le cochon pig
le cœur heart
le coin corner
la colère anger
le colin-maillard blindman's buff
le combat combat
combattre to fight
combien how many
comme like, as
commencer to begin
comment how
la compagnie company
le compagnon companion
complètement completely
le compliment compliment
complimenter to praise, to compliment
compliqué, –e confusing
comprendre to understand
comprenons understand (*1st per. plu. pres. ind. of* **comprendre**)
compris understood (*past part. of* **comprendre**)
compter to count
le comte count
la comtesse countess
la condition condition
confier to confide, entrust
la connaissance knowledge, consciousness
sans connaissance unconscious
connaître to know
connu known (*past part. of* **connaître**)
le conseil advice

la conséquence consequence
considérable considerable
consoler to console
consulter to consult
le conte story
conte de fées fairy story
content, –e happy, pleased
continuer to continue
continuellement continually
contre against
la conversation conversation
la coque shell
œuf à la coque soft boiled egg
la coquille shell
la corde rope
le corps body
le corridor hall
le costume suit
costumé, –e (in) fancy dress
le côté side
à côté de beside
à côté nearby, next
de côté aside
de son côté on his side
le cou neck
couché, –e lying
coucher to sleep
se coucher to go to bed
coud sews (*3rd. per. sing. pres. ind. of* **coudre**)
la couleur color
le coup blow
tout à coup suddenly
couper to cut
le couple couple
la cour yard
le courage courage
courageux, courageuse brave
courant running (*pres. part of* **courir**)
courir to run
court runs (*3rd per. sing. pres. ind. of* **courir**)
court, –e short
le cousin cousin
le couteau knife
coûter to cost
couver to hatch
couvert, –e covered
le crabe crab
la crème cream
le cri cry
crier to scream, shout, call
croire to believe
croiser to cross, intersect
croit believes (*3rd per. sing. pres. ind. of* **croire**)
croyez believe (*2nd. per. plu. pres. ind. of* **croire**)
la cruauté cruelty

cruel, cruelle cruel
la cuisine kitchen
la cuisinière the cook
la culotte knee breeches
le cultivateur farmer
cultiver to cultivate

D

la dame lady
la dame de compagnie companion
le danger danger
dans in, into
la danse dance
danser to dance
de of, from, out of, to, with; some
débarrasser to rid
debout standing
décider to decide
la décision decision
décourager discourage
découvre discovers (*3rd. per. sing. pres. ind. of* **découvrir**)
décrire to describe
décrivez (*imv. of* **décrire**)
dedans inside
le défaut fault
défendre to forbid
se défendre to defend oneself
défendu forbidden (*past part. of* **defendre**)
déguiser to disguise
dehors outside
déjà already
le déjeuner breakfast, lunch
le petit déjeuner breakfast
délicat, –e delicate
demander to ask, to ask for
demander à to ask (*followed by a person*)
demander de to ask, (*followed by an infinitive*)
la demeure dwelling
demeurer to live
demi, –e half
la demi-heure half an hour
le départ departure
dépasser to get ahead of
la dépêche telegram
dépêcher to hurry
se dépêcher to hurry
dépendre to depend
dépenser to spend (*money*)
depuis since
dernier, dernière last
derrière behind
des (**de** + **les**) *see* **de**
descendre to go down, to alight
la descente descent
déshabiller to undress
le désir desire
désirer to desire, want

détester to hate
détourner to turn away
détruire to destroy
la **dette** debt
deux two
  tous les deux both
deuxième second
devant in front of
devenir to become
devez ought, must (*2nd. per. plu. pres. ind. of* **devoir**)
devient becomes (*3rd. per. sing. pres. ind. of* **devenir**)
le **devoir** duty, work
Dieu God
la **différence** difference
différent, –e different
difficile hard
la **difficulté** difficulty
diligent, –e industrious
diminuer diminish, lower
le **dîner** dinner
dîner to eat
dire to say
diriger to direct
dirons *shall* say (*1st per. plu. fut. of* **dire**)
dis, say (*1st per. sing. pres. ind. of* **dire**)
disait used to say (*3rd. per. sing. impf. of* **dire**)
disent say (*3rd. per. plu. pres. ind. of* **dire**)
disposé, –e disposed
la **distance** distance
distinguer to distinguish
dit says, tells (*3rd. per. sing. pres. ind. of* **dire**); said, told (*past part.*)
dites tell (*2nd. per. plu. pres. ind. and imv. of* **dire**)
dix ten
dixième tenth
le **docteur** doctor
le **doigt** finger
doit owes (*3rd. per. sing. pres. ind. of* **devoir**)
le **domestique** servant
le **donjon** tower, dungeon
donner to give
donnera will give (*3rd. per. sing. fut.*)
dormir to sleep
dort sleeps (*3rd. per. sing. pres. ind.*)
le **dos** back
doublé, –e lined
la **doublure** lining
la **douceur** kindness
doucement softly, gently
douloureux, douloureuse painful
le **doute** doubt
doux, douce soft, gentle
le **drap** sheet
la **droite** right (hand)
  à droite to the right
drôle funny
du (**de** + **le**) *see* **de**
  du reste besides
dur, –e hard, harsh
durer to last

E

l'eau *f.* water
l'éclair *m.* flash
l'école *f.* school
économiser to save (money)
écorché, –e skinned
écouter to listen
écrémer to skim (*milk*)
écrire to write
écrit writes (*3rd. per. sing. pres. ind. of* **écrire**); written (*past part. of* **écrire**)
écrivez write (*2nd. per. plu. pres. ind. of* **écrire**
l'éducation *f.* education
effrayé, –e frightened
égal, –e equal
eh bien! well, very well
élancer to throw
s'élancer to leap
l'élève *m.* pupil
élevé, –e bred, brought up
mal élevé badly brought up
élever to bring up
elle she, it, her
l'éloquence *f.* eloquence
éloquent, –e eloquent
embarrassé, –e embarrassed
embrasser to kiss
l'émotion *f.* emotion
emporter to carry away
en *prep.* in, into, to, on, while
en bas below
en haut above
en tirant drawing, pulling
en *pro.* of it, of them, some, any
enchanté, –e enchanted
encore again, still, yet
encourager to encourage
s'endormir to fall asleep
s'endort falls asleep (*3rd. per. sing. pres. ind. of* **s'endormir**)
l'endroit *m.* place
à l'endroit right side out
l'enfant *m. or f.* child
enfermer to lock up
enfin finally
enjamber to climb over
l'ennemi *m.* enemy
énorme enormous
ensemble together
ensuite next
entendre to hear
entendu heard (*past part. of* **entendre**)
C'est entendu? You understand?
entourer to surround
l'entrain *m.* enthusiasm
entre between
entrer to enter
l'envers *m.* wrong side

à l'envers on the wrong side
envelopper to wrap up
envoyer to send
l'épée *f.* sword
épouser to marry
l'espagnol Spanish
essuyer to dry
est is (*3rd. per. sing. pres. ind. of* **être**)
l'état *m.* state
et and
était was (*3rd. per. sing. impf. of* **être**)
l'été *m.* summer
été been (*past part. of* **être**)
étendu stretched out (*past part. of* **étendre**)
l'étoile *f.* star
étonner to astonish
l'étranger *m.* stranger
être to be
étroit, –e narrow
l'étude study
étudier to study
eux them, they
éveiller to awaken
s'éveiller to wake up
évident, –e evident
examiner to examine
l'exclamation *f.* exclamation
l'excuse *f.* excuse
l'exemple *m.* example
exister to exist
expliquer to explain
extraordinaire extraordinary

F

fâché cross, angry
se fâcher to get angry
facile easy
facilement easily
la façon way
faible weak
la faim hunger
avoir faim to be hungry
faire to do, to make
faire beau to be fine weather
faire bon to be comfortable
faire chaud to be hot weather
faire mal à to hurt
faire de son mieux to do one's best
faire du soleil to be sunny
faisons make, do (*1st. per. plu. pres. ind. of* **faire**)
fait makes (*3rd. per. sing. pres. ind. of* **faire**); made (*past part. of* **faire**)
la falaise cliff
falloir to be necessary, must
la famille family

la fatigue fatigue
fatigué, –e tired
se fatiguer to tire
faut (it) is necessary (*3rd. per. sing. pres. ind. of* **falloir**)
la faute error, mistake, fault
faux, false
la fée fairy
la femme woman, wife
la fenêtre window
le fer iron
le chemin de fer railroad
fera, will do, make (*3rd. per. sing. fut. of* **faire**)
ferait would make (*3rd. per. sing. cond.*)
ferme solid, strong, firm
la ferme farm
fermer to close
le fermier the farmer
la fermière farmer's wife
la fête feast
fêter to celebrate
le feu fire
fier, fière proud
la fièvre fever
la figure face
la fille girl, daughter
le fils the son
la fin end
finir to finish
la fleur flower
la flûte flute
le foin hay
la fois time
foncé, –e dark
font make (*3rd. per. plu. pres. ind. of* **faire**)
la force strength
de toutes ses forces with all his might
forcer to force
la fôret forest
former to form
le fort fort
fort, –e strong
au plus fort de in the height of
se fortifier to grow strong
le fossé ditch
fou (fol), folle crazy
le fragment fragment
frais, fraîche fresh
franc, franche frank
le français French
frapper to hit
frêle delicate, frail
le frère brother
froid, –e cold
avoir froid to be cold (*person*)
faire froid to be cold (*weather*)
le front forehead
frotter to rub
le fruit fruit
fumer to smoke
furieux, furieuse angry

G

gagner to earn
gagnera will earn (*3rd. per. sing. fut.*)

gagnerez you will earn (*2nd. per. plu. fut. of* **gagner**)
gagner ma vie to earn my living
gai, –e gay, pleasant
le **garçon** the boy
la **garde** guard
garder to keep
gardera will keep (*3rd. per. sing. fut. of* **garder**)
la **gare** station
Garin proper name
le **gâteau** cake
gâter to spoil
gauche left
à gauche to the left
gêner to embarrass
le **général** (*plu.* **généraux**) general
les **gens** people
gentil, gentille good, kind
glisser to slip down
la **gouvernante** governess
la **grâce** mercy, pardon
gracieux, gracieuse, graceful
le **grain** grain
grand, –e large, high, great, big
la **grange** barn
grave serious
gris, –e gray
gronder to scold
gros, grosse large
le **groupe** group
guéri, –e cured (*past. part. of* **guérir**)
la **guérison** recovery
la **guerre** war

H

habillé, –e dressed
habiller to dress
habiter to live in
le **haut** top
haut, –e high, tall
en haut above
hélas ! alas !
l'herbe *m.* grass, herb
l'héritage *m.* heritage
le **héros** hero
l'hésitation *f.* hesitation
hésiter to hesitate
l'heure *f.* hour, o'clock
heureusement fortunately
heureux, heureuse happy
hier yesterday
l'histoire *f.* story
l'hiver *m.* winter
holà ! hello there !
l'homme *m.* man
l'honneur *m.* honor
honorablement, honorably
l'horreur *f.* horror
hors de outside of
l'hôtel *m.* hotel
humilier to humiliate

I

ici here
par ici this way
l'idée *f.* idea
ignorer to be ignorant of
il he, it
il y a there is, there are, ago
il y a . . . que it is . . . since
l'île *f.* island
illuminer to light up
immédiatement immediately
immobile motionless
l'impatience impatience
impoli, –e impolite
important, –e important
imposer to impose
impossible impossible
inattentif, inattentive inattentive
l'infériorité *f.* inferiority
ingrat, –e ungrateful
injuste unjust
l'injustice *f.* injustice
installer to settle, to put on board
intelligent, –e intelligent
l'intention *f.* intention
intéresser to interest
inutile useless
inviter to invite
irai shall go (*1st. per. sing. fut. of* **aller**)
irons shall go (*1st. per. plu. fut. of* **aller**)
l'italien Italian

J

jamais ever, never
ne . . . jamais never
la jambe leg
le jambon ham
le jardin garden
le jardin potager vegetable garden
je I
jeter to throw, to utter
jette (*1st. per. sing. pres. ind. of* **jeter**)
le jeu game, play
aimer le jeu to like to gamble
jeune young
la joie joy
joli, –e pretty
la joue cheek
jouer to play
jouer aux billes to play marbles
le jouet the toy
le jour day
la journée day
joyeux, joyeuse happy
jusque as far as
jusqu'à to

L

l' *see* **le, la**

la *see* **le**
là there
là-bas over there
là-haut up there
par là there
laid, –e ugly
laisser to leave, let
le lait milk
la laiterie dairy
lamenter to lament
large wide
la larme tear
le, la, les *art.* the; *pro.* it, him, her, them
la leçon
léger, légère light
le légume vegetable
le lendemain the next day
lentement slowly
lequel who, which
les *see* **le**
la lettre letter
leur *adj.* their; *pro.* them
lever to raise
se lever to rise
la liberté liberty
libre free
le lieu place
le linge clothes
le lion lion
lire to read
Lisette diminutive of Elizabeth
le lit bed
le livre book
loin far, afar
la Loire the river Loire
l'on *the same as* **on**
Londres London
long, longue long
le long de along
longtemps a long time
longuement a long time
la loque rag
lorsque when
louer to hire
le loup wolf
lui him, it
lui-même himself

M

M. *abbrev. for* **monsieur**
m' *see* **me**
machinalement mechanically
madame Mrs., Madam
mai May (*month*)
maigre thin
la main hand
maintenant now
mais but
la maison house
le mal harm, pain
mal badly
mal élevé, –e badly brought up
le malade patient, invalid
malade ill
la maladie illness
malgré in spite of
malheureux, malheureuse unfortunate, unhappy

malheureusement unfortunately
la **malle** trunk
la **maman** mother
manger to eat
la **mansarde** attic
le **manteau** cloak, coat
la **marche** step
marcher to walk
le **marcheur** walker
la **marée** tide
le **mari** husband
le **marié** bridegroom, husband
la **mariée** bride, wife
se **marier** to marry
le **marin** sailor
le **matin** morning
la **matinée** an afternoon party
mauvais, –e bad
me me, to me
méchant, –e naughty, bad
mécontent, –e dissatisfied
le **médecin** doctor
la **médecine** medicine
meilleur, –e better
le meilleur best
même *adj.* same; *adv.* even
la **mémoire** memory
mener to lead
mentir to lie
la **mer** sea
merci thank you
la **mère** mother
merveilleux, merveilleuse marvelous
Mesdames (*plu. of* **madame**) ladies
Messieurs (*plu. of* **monsieur**) gentlemen
mettre to put
se **mettre à** to begin
le **meuble** piece of furniture
la **meule** stack
meule de foin hay stack
meurs die (*1st. per. sing. pres. ind. of* **mourir**)
meurt dies (*3rd. per. sing. pres. ind. of* **mourir**)
mieux better
le mieux best
faire de son mieux to do one's best
le **milieu** middle
au milieu de in the midst of
la **minute** minute
mis put, placed (*past part. of* **mettre**)
Mme. *abbrev. for* madame
le **modèle** model
moi me, I
moins less
moins que less than
le **mois** month
la **moitié** half
le **moment** moment

mon, ma, mes my
le **monde** people, world
tout le **monde** everybody
monotone dull
Monsieur Mr., gentleman, Sir
le **mont** mountain
monter to go up, to rise
la **marée monte** the tide is coming in
montrer to show
se **moquer de** to make fun of
le **morceau** piece
la **mort** death
mort, –e dead (*past part. of* **mourir**)
le **mot** word
le **mouchoir** handkerchief
mouillé, –e wet
mourir to die
le **moyen** means
le **mur** wall
la **muraille** wall
murmurer to murmur
le **muscle** muscle
le **musicien** musician
la **musique** music

N

nager to swim
la **naissance** birth
Nantes *a city in France*
Napoléon emperor of France
naturel, naturelle natural
ne no, not
ne . . . jamais never
ne . . . pas not
ne . . . pas du tout not at all
ne . . . personne nobody
ne . . . plus no longer, no more
ne . . . rien nothing
nécessaire necessary
la **neige** snow
le **neveu** nephew
le **nez** nose
ni . . . ni neither . . . nor
noble noble
noir, –e black, dark
la **noix** nut
le **nom** name
nommer to name
non no
notre our
nouer to tie, knot
nous we, us
nouveau (nouvel), nouvelle new
de nouveau again
les **nouvelles** *f. pl.* news
la **nuit** night
faire nuit to be dark

O

l'obscurité *f.* darkness
observer to observe

l'occasion *f.* occasion
occupé, –e busy
occuper to occupy
l'océan *m.* ocean
l'œil *m.* (*plu.* **yeux**) eye
l'œuf *m.* egg
œuf à la coque soft boiled egg
l'oignon *m.* onion
l'oiseau *m.* bird
ombrager to shade
l'ombre *m.* shade
on one, we, they, people
l'oncle *m.* uncle
ont have (*3rd. per. plu. pres. ind. of* **avoir**)
onze eleven
l'opération *f.* operation
opinion opinion
l'or *m.* gold
ordinairement ordinarily
l'oreille *f.* ear
l'orphelin *m.* orphan
oser to dare
où where, when
ou or
oublier to forget
oubliera will forget (*3rd. per. sing. fut. of* **oublier**)
oui yes
l'ouvrage *m.* work
l'ouvrier *m.* workingman
l'ouvrière *f.* workingwoman
ouvrir to open

P

la page page
la paille straw
chaise de paille straw-bottomed chair
le pain bread
paisible peaceful
pâle pale
le panier basket
le papa father
Pâques Easter
le paquet package
par by, for, in, through
par ici here, this way
par là there, that way
parce que because
pardonner to pardon
pareil, pareille similar
paresseux, paresseuse lazy
parfait, –e perfect
Parisien Parisian
parler to speak
parlerons shall speak (*1st. per. plu. fut. of* **parler**)
parmi among
la parole word
la part part
quelque part somewhere
partager to share
partent leave (*3rd. per. plu. pres. ind. of* **partir**)
la partie game, part

la partie de plaisir pleasure trip
partir to go away, leave
le pas step
pas *see* **ne**
le passé past
passer to pass, to spend (*time*)
la passion enthusiasm
le patron employer
la patte foot, claw, (*of an animal*)
pauvre poor
payer to pay
le pays country, place
le paysan peasant
pendant during, for
pendant que while
pendre to hang
pénétrer penetrate
la pensée thought
penser (à) to think (of, about)
Je pense que oui I think so
le penseur thinker
perdre to lose
le père father
permettre to permit
le perron balcony
le personnage character
la personne person
ne . . . personne nobody
petit, –e little
le peu little
la peur fear
avoir peur to be afraid
peut can (*3rd. per. sing. pres. ind. of* **pouvoir**)
peut-être maybe, perhaps
la phrase sentence
la pièce coin
pièce blanche silver coin
le pied foot
à pied on foot
pis worse
la pitié sympathy
la place place
placer to place
le plafond ceiling
la plage beach
plaindre to pity
plaire to please
le plaisir pleasure
plaît pleases (*3rd. per. sing. pres. ind. of* **plaire**)
s'il vous plaît please
la planche board
le plancher floor
la plate-forme platform
plein, –e full
pleurer to weep
plonger to plunge, to dive
la pluie rain
plus more
ne . . . plus no more, no longer
plutôt rather
plutôt . . . que rather . . . than

la poche pocket
le poisson fish
poli, –e polite
la porcelaine china
la porte door
porter to carry, wear
poser to put down
posséder to possess
possible possible
le pot kettle
potager, le jardin potager vegetable garden
la poule hen
la poupée doll
pour for, towards, in order to
pourquoi why
pourrai, pourra will be able (*1st. and 3rd. per. sing. fut. of* **pouvoir**)
pourrez will be able (*2nd. per. plu. fut. of* **pouvoir**)
le poussin chick
pouvoir to be able, can
pratiquer to practice
précieux precious
préférer to prefer
premier, première first
prendre to take
prendre fin end
prennent take (*3rd. per. plu. pres. ind. of* **prendre**)
près de near
la présence presence
la présentation presentation, introduction
presque almost
la preuve proof
prier to beg
la prière prayer
primaire primary
le prince prince
pris taken (*past part. of* **prendre**)
la prison prison
le prisonnier prisoner
probablement probably
procurer to secure, to get
le professeur professor
la profession profession
profond, –e deep
profondément soundly
la promenade walk
se promener to go for a walk
se promener en bateau to go in a boat
la promesse promise
promets promise (*1st. per. sing. pres. ind.*)
promettre to promise
promis promised (*past part. of* **promettre**)
proposer to propose
propre neat
la propreté neatness
le protecteur protector
protéger to protect
prouver to prove
la Provence *an old province in S. E. France*

puis then
puisque since, because

Q

qu' *see* **que**
la **qualité** quality
quand when
la **quarantaine** quarantine
que *conj.* than, that, when; **que** *pro.* which whom, that
ce que *obj.* what
quel, quelle *adj.* what
quelque some, a few
quelque part somewhere
quelquefois sometimes
quelqu'un someone
la **question** question
qui who, which, that, whom
ce qui *sub.* what
quinze fifteen
quitte even
quitter to leave
quoi what

R

raconter to tell
radieux, radieuse bright
la **raison** reason
avoir raison to be right
ramasser to pick up
ramener to bring back
rapide rapid
rappeler to recall, to remember
rapporter to bring back
rarement rarely, seldom
rassurer to reassure
rattraper to make up for
la **réalité** truth, reality
recevoir to receive
reçoit receives (*3rd. per. sing. pres. ind. of* **recevoir**)
la **recommandation** direction
recommander to recommend, to advise
recommencer to begin again
la **reconnaissance** gratitude
reconnaissant, –e grateful
reconnaître to recognize
reçu received (*past part. of* **recevoir**)
reculer to draw back
réfléchir to think
refuser to refuse
le **regard** glance
regarder to look (at)
regretter to regret
régulier, régulière regular
remarquer to notice
remercier to thank
remplir to fill

remuer to move
le **renard** fox
rencontrer to meet
rendre to return, to give back, to make
rentrer to return, come back
le **repentir** repentance
répéter to repeat
répondre to answer
la **réponse** answer
reprendre to continue
reprendre connaissance to regain consciousness
repris (*past part.*)
la **résolution** resolution
le **reste** rest
du reste besides
rester to stay
restera will stay (*3rd. per. sing. fut.*)
retourner to return
retrouver to find again
réussir to succeed
réveiller to awaken
se réveiller to awaken
revenir to come back again
revenu (*past part.*)
revient (*3rd. per. sing. pres. ind. of* **revenir**)
révient à lui returns to consciousness
revoir to see again
riant laughing
riche rich
les **richesses** *f.* riches
rien nothing
ne . . . rien nothing
rire to laugh
rit laughs (*3rd. per. sing. pres. ind. of* **rire**)
la **rivière** river
le **rocher** rock
le **roi** king
rose pink, rosy
la **rue** street
la **rumeur** rumor

S

sa *see* **son**
le **sable** sand
saignant, –e bleeding
sain et sauf safe and sound
Saint-Nazaire *a city in France*
sais know (*1st. per. sing. pres. ind. of* **savoir**)
la **saison** season
grande saison busy time
sait knows (*3rd. per. sing. pres. ind. of* **savoir**)
sale dirty
la **salle** room
le **salon** parlor
le **sang** blood
sans without
la **santé** health
Sarrasin Saracen ("*Mohammedan*")

le **satin** satin
sauf *see* **sain**
sauver to save
se **sauver** to run away
savez know (*2nd. per. plu. pres. ind. of* **savoir**)
savoir to know
sceller to seal
se himself, herself, itself, themselves; each other
sec, sèche dry
second second
le **secours** help
au secours! help
le **seigneur** lord
la **semaine** week
sembler to seem
la **sensation** feeling
le **sentiment** feeling
sentir to feel
séparer to separate
sept seven
sera will be (*3rd. per. sing. fut. of* **être**)
serait would be (*3rd. per. sing. cond. of* **être**)
serez will be (*2nd. per. plu. fut. of* **être**)
sérieusement seriously
sérieux, sérieuse serious
serrer to tighten
sert serves (*3rd. per. sing. pres. ind. of* **servir**)
servir to serve
seul, –e alone
seulement only
si if; so, such
le **siège** seat
silencieux, silencieuse silent
Simbad Name of a character in *The Arabian Nights*
simple simple
simplement quietly, simply
sire sire
situé, –e situated
soigner to take care of
soi-même oneself
le **soin** care
le **soir** night, evening
le **soldat** soldier
le **soleil** sun
la **somme** sum
le **sommeil** sleep
son, sa, ses its, his, hers
le **son** sound
sortez go out, take out, (*imperative of* **sortir**)
sortir to go out
le **sou** cent
souffert suffered (*past part. of* **souffrir**)
la **souffrance** suffering
souffre suffers (*3rd. per. sing. pres. ind. of* **souffrir**)
souffrir to suffer
le **soulier** shoe
la **soupe** soup
le **sourire** smile

sourire to smile
sous under
se **souvenir de** to remember
souvent often
spécial, –e special
la **station** station
studieux studious
stupide stupid
la **suite** continuation
tout de suite immediately
par suite de following
suivre to follow
la **supériorité** superiority
supplier to beg
supporter to endure
sur on
sûr, sûre sure
la **surface** surface
surpris surprised
surtout especially
suspendu, –e suspended, hanging

T

la **table** table
le **tablier** apron
la **tâche** task
tâcher to try
tant so much
la **tante** aunt
tard late
la **tasse** cup
le **teint** complexion
tel, telle such
la **tempête** tempest
le **temps** weather, time
de tout temps always
la **tendance** tendency
tendre to give, extend
tendrement tenderly
la **tendresse** affection
tenir to hold, to keep
la **tentation** temptation
terminer to end, to finish
la **terre** earth, land
à terre on the ground
les terres possessions
la **terreur** terror
terrible terrible
la **tête** head
tenu held
le **thé** tea
tient holds (*3rd. per. sing. pres. ind. of* **tenir**)
tirant pulling, drawing (*pres. part. of* **tirer**)
tirer to pull, draw
tomber to fall
tomber malade to become ill
tôt early
toucher to touch
toujours always
la **tour** tower
tourmenter to worry
tourner to turn
tous *see* **tout**
tout, toute, tous, toutes all, every
tous les deux both
tout le monde everybody

le **train** train
tranquille quiet
tranquillement quietly
transporter to transport, carry
le **travail** (*plu.* **travaux**) work
travailler to work
le **travailleur** worker
traverser to cross
le **trèfle** clover
trembler to tremble
très very
triste sad, gloomy
tristement sadly
trois three
troisième third
des troisièmes third class (compartments), (tickets)
la **trompette** trumpet
trop too much, too
le **troupeau** herd
trouver to find
trouverait would find (*3rd. per. sing. cond.*)
trouveriez would find (*2nd. per. plu. cond. of* **trouver**)
tuer to kill
Ture-Lure an imaginary country

U

un, une a, an, one
utile useful

V

va goes, is going (*3rd. per. sing. pres. ind. of* **aller**)
les **vacances** *f.* vacation
la **vache** cow
le **vagabond** vagabond
la **vague** wave
vais am going (*1st. per. sing. pres. ind. of* **aller**)
le **vassal** (*plu.* **vassaux**) vassal
vassaux *see* **vassal**
vendeur salesman
vendre to sell
venez come (*2nd. per. plu. pres. ind. of* **venir**)
venir to come
le **vent** wind
venu (*past part. of* **venir**)
la **vérité** truth
verrai shall see (*1st. per. sing. fut. of* **voir**)
vers towards
la **veste** coat
le **vêtement** garment; *plu.* clothes
veut wish, want (*3rd. per. sing. pres. ind. of* **vouloir**)
veux wish, want (*1st. per. sing. pres. ind. of* **vouloir**)
veut bien is willing
la **viande** meat

le **vicomte** viscount
la **vicomtesse** viscountess
vide empty
la **vie** life
gagner ma vie to earn my living
viendra will come (*3rd. per. sing. fut. of* **venir**)
viens come (*1st. per. sing. pres. ind. of* **venir**)
viennent come (*3rd. per. plu. pres. ind. of* **venir**)
vieux (vieil), vieille old
vif, vive quick
vilain, –e ugly
le **village** village
la **ville** city
le **vin** wine
vingt twenty
la **viole** viol (*musical instrument*)
visiter to visit
vite quickly
vivre to live
voici here is, here are
voilà there is, there are
voilà tout that is all
voir to see
le **voisin** neighbor
la **voisine** neighbor
voit sees (*3rd. per. sing. pres. ind. of* **voir**)
la **voiture** carriage
la **voix** voice
voler to steal
le **voleur** thief
votre your
vouloir to wish, to want
voulu wished, wanted (*past part. of* **vouloir**)
vous you
le **voyage** trip
voyager to travel
le **voyageur** traveler
voyiez saw (*2nd. per. plu. impf. of* **voir**)
vrai, –e true, real
vraiment really
la **vue** sight

Y

y there
il y a there is, there are, ago
les **yeux** *see* **œil**